CN00659565

Bouddha, bouddhisme

par

Jean-Luc TOULA-BREYSSE

Éditions
Philippe Picquier

L'auteur remercie François Cazenave, Françoise Pommaret et Junko Saïto pour leur aide, leurs conseils et leur soutien.

Mas de Vert
B.P. 150
13631 Arles cedex

En couverture : Portrait d'un moine zen, époque d'Edo, encre et couleurs sur soie, collection privée.

Conception graphique : Picquier & Protière

ISBN : 2-87730-423-X
ISSN : 1251-6007

Sommaire

Sa diffusion dans le monde 67

Guide pratique 97

Introduction

Avec la figure du Bouddha naît, il y a deux mille cinq cents ans, dans un petit royaume du Nord de l'Inde, une doctrine universelle. Un enseignement révélant, dans un examen critique, les forces de l'amour, de la compassion, de la sérénité et de la tolérance. Une connaissance complexe du psychisme qui s'articule autour de la souffrance et des moyens de s'en affranchir.
Son fondateur : Siddharta Gautama. Ni prophète, ni fils de Dieu, mais un homme éminemment sage, un être qui atteindra l'Eveil et deviendra le futur Bouddha. La transmission de son enseignement se fera de son vivant et pendant plusieurs siècles oralement. Pour les bouddhistes, il y a eu avant lui et il y aura après lui d'autres Bouddhas. Il n'est pas unique, chacun peut devenir Bouddha.
Si le bouddhisme – l'une des plus grandes traditions spirituelles – est considéré en Occident comme philosophie, religion, discipline mentale ou pratique morale, pour les bouddhistes c'est avant tout une expérience partagée qui n'a de valeur que si elle est vécue. Il ne faut pas confondre cette spiritualité active avec le comportement d'une secte.
La doctrine du « Bienheureux » (le Bouddha), en opposition à la culture sacrificielle brahmanique et à une société de castes, se fonde sur Quatre

Nobles Vérités : la souffrance, sa cause, sa cessation et la voie conduisant à sa cessation. Trois grands courants, appelés généralement en Occident « Véhicules », transmettent la pensée du Bouddha : le Hinayana (Petit Véhicule), le Mahayana (Grand Véhicule) et le Vajrayana (Véhicule du Diamant).

Au cours des siècles et de son rayonnement, principalement en Asie, puis un peu partout dans le monde, le bouddhisme engendre de nombreux courants s'adaptant aux pratiques, aux croyances et aux cultures locales. L'enseignement du « Maître », comme ses disciples le nomment, subira d'inévitables modifications. Des hauts plateaux himalayens à l'archipel japonais, de la Birmanie à la Bourgogne, l'enseignement, la vie monacale et l'art bouddhique connaissent des formes bien différentes, même si la quête de l'Eveil demeure en tout temps et en tout lieu la finalité de la noble voie.

Le bouddhisme – au-delà d'une mystique inconnue et des légendes orientales – pose les problèmes essentiels de la nature humaine. Mais est-ce vraiment une religion ? Et si cette lumineuse leçon de sagesse fondée sur la non-violence et le respect du vivant conduisait l'humanité à plus de paix intérieure et de liberté ?

Bodhisattva.

Avertissement

Afin de faciliter la lecture, la translittération en français des mots palis (langue sacrée du bouddhisme), sanskrits (langue classique de l'Inde), tibétains, chinois ou japonais est dénuée de signes diacritiques (points, accents et barres).

Gautama,
les autres Bouddhas
et les maîtres

Bien que Sakyamuni ait lui-même pris soin de nous avertir qu'il n'était qu'un homme, il est non moins certain que l'Inde en a fait un dieu.

Alfred Foucher, *La Vie du Bouddha.*

Gautama, les autres Bouddhas et les maîtres

Lors de son ultime réincarnation dans notre monde, Siddharta Gautama parvient à la connaissance parfaite. Il devient le Bouddha.
Au lieu de jouir des richesses de son rang, ce prince d'un petit royaume himalayen abandonne biens et titres pour chercher le chemin de l'Eveil spirituel. Après l'errance et l'ascèse, il atteint l'état de Bouddha à trente-cinq ans. De ce jour et jusqu'à son trépas, à l'âge de quatre-vingts ans, il prêchera sur les routes son enseignement et constituera une communauté (Sangha). Son histoire est indissociable de la légende.
Cet homme, sage entre les sages, n'est pas pour les bouddhistes le seul à être parvenu à l'état de Bouddha. D'autres l'ont précédé et d'autres le suivront. Depuis, des maîtres bouddhistes transmettent la loi bouddhique (Dharma) redécouverte par celui qui sera appelé l'Eveillé ou le Bouddha.

Le Bouddha historique

Avant sa naissance

Avant de devenir le Bouddha, Gautama aurait vécu de nombreuses vies antérieures (Djakatas).

Maitreya au lotus bleu.

Il s'est souvenu, selon ses disciples, de ses existences passées. Pour les bouddhistes, elles appartiennent à l'histoire même de l'Eveillé. Les légendes édifiantes et le merveilleux ont contribué à répandre ces récits dans toute l'Asie. Il aurait expérimenté « depuis celle de fourmi jusqu'à celle de Dieu » toutes les formes de vie. Par un ardent travail reposant sur la compassion et le don, Gautama atteint la condition de Bouddha dans sa dernière naissance.

Naissance

La biographie historique du fondateur du bouddhisme n'est pas l'élément primordial de cette spiritualité orientale. Ni l'objet d'une grande exactitude. L'apport essentiel et véritable du Bouddha s'établit sur l'expérience vécue.

Siddharta Gautama, le futur Bouddha, est né au VIe siècle avant notre ère dans une famille respectée et aisée, au nord de l'Inde. Fils d'un chef valeureux de la tribu des Sakyas et d'une reine aussi belle que pieuse, selon la légende, Siddharta aurait vu le jour sous un arbre précieux, au printemps, le temps de la pleine lune du mois indien de Vaishakha (mai ou juin selon notre calendrier). Son père, Suddhodana, accueille cette nouvelle avec joie. Il convoque ses astrologues et un sage pour prédire l'avenir de l'enfant. Le vieil ermite de l'Himalaya augure pour le nourrisson une exceptionnelle destinée...

Bouddhas assis dans la position du lotus, Birmanie.

Sept jours après la naissance du prince, sa mère meurt. Siddharta est élevé alors par sa tante maternelle, seconde épouse de son père.

■ La littérature bouddhique célèbre la mère du Bouddha, la reine Maya, dans la plus pure tradition poétique orientale : « Ses cheveux ont la couleur de l'abeille noire, la forme de ses yeux rappelle celle de la feuille nouvelle de lotus bleu, son front est clair comme le diamant, sa peau a l'éclat de l'or bruni, son ventre la courbe harmonieuse de l'arc. Plus souples que la trompe de l'éléphant sont ses bras et plus déliées ses jambes et ses cuisses. »

LES NOMS DU BOUDDHA

Bouddha n'est pas un nom propre. C'est un qualificatif qui signifie « L'Eveillé », « Celui qui sait », ou plus simplement « le Sage ». Ses disciples l'appelaient « le Maître ».
Le personnage historique Siddharta Gautama est désigné sous diverses appellations. Son nom Gautama vient, sinon de sa mère, de sa tante maternelle. La lignée dans sa famille aurait été matronymique.
Appelé aussi Sakyamuni, « le Sage des Sakyas », Siddharta (Celui qui accomplit le but) a quantité de surnoms : Tathagata (Celui qui est venu), Saccanama (Celui dont le nom est Vérité), Bhagavat (le Bienheureux), Arahant (le Digne), Anoma (l'Insondable), Sounyamourti (la Forme du Vide), Chakravartin (Celui qui fait tourner la Roue) et bien d'autres encore selon les époques, les lieux et les écoles...

Les premiers chrétiens du Proche-Orient connaissaient le Bouddha. Des siècles après sa mort, l'Eglise le canonisa sous le nom de saint Josaphat. Au gré des traductions, Bouddha devint en perse Bouddhasi puis Budasaf, puis Judasaf, et au XIe siècle en latin Joasaph, pour devenir Josaphat. Le Bouddha *alias* saint Josaphat est inscrit au XVIe siècle au martyrologe romain.

Jeunesse d'un prince

Jusqu'à l'âge de sept ans, le petit Siddharta est entouré de ses nombreuses nourrices et de sa tante. Il reçoit une éducation délicate comme les jeunes de son rang. Son père lui offre ce qu'il y a de meilleur. Il apprend les lettres, les sciences, les arts et les règles de la guerre. A seize ans, l'âge où les princes prennent femme, il épouse la jeune et belle Yashodara, fille d'un clan voisin, et mène une existence entre les plaisirs et l'oisiveté. De cette union naîtra un fils : Rahula, son unique enfant. Tout destine Siddharta à une vie princière. Et pourtant... une promenade va tout bouleverser. Le prince Siddharta Gautama, sortant du palais de son père, croise pour la première fois un vieillard au corps épuisé, un homme souffrant, un cadavre puis un mendiant. Il découvre alors la condition humaine. Ces rencontres le conduisent à s'éloigner de la vie du monde. Siddharta, malgré les réticences paternelles, décide de quitter son milieu familial.

La quête de la vérité

Juste après la naissance de son fils Rahula, Gautama se sépare de sa famille et de tous les biens qu'il possède pour mener une vie d'anachorète (ascète solitaire qui se retire du monde), une vie d'errance, une vie contemplative. Il a vingt-neuf ans. Commence sa longue quête de la vérité. Pendant six ans, il suit dans la vallée du Gange l'enseignement de brahmanes et de yogis. Les pratiques qu'il expérimente ne lui permettent pas de trouver la paix. Le jeûne l'affaiblit. Epuisé, il comprend que cette mortification extrême est l'expression d'une vanité. Au même titre que les richesses matérielles des puissants.

■ Rahula, le fils du Bouddha, est l'un des grands disciples du Dharma. Lors de son retour à Kapilavastu, son père lui enseigne la Doctrine et le fait ordonner. Sa volonté d'apprendre le désigne comme le premier des moines. Il meurt avant son père.

Eveil

Après avoir renoncé aux souffrances physiques, Gautama sent que son énergie revient et qu'il va atteindre son but ultime. Une nuit, alors qu'il médite assis sous un arbre, l'Eveil déchire en lui les ténèbres. Après un combat contre les forces obscures incarnées par Mara, le Mauvais, le Tentateur régnant sur le monde du désir, Siddharta parvient dans sa quête à l'intuition de la vérité suprême. Dès lors Siddharta Gautama devient le Bouddha. Sa libération est irréversible. Après avoir cédé aux attraits du monde dans sa jeunesse puis aux excès de l'abstinence, il opte pour la « voie du milieu ».

■ Mara : ce dieu de la mort, personnification des états de désir, d'agressivité et d'illusion, tient l'homme en son pouvoir. Il gouverne la condition malheureuse des êtres humains. Lorsque Gautama

Siddharta Gautama quittant le palais à minuit
sur son cheval.

s'assied sous l'arbre de l'Illumination, Mara déchaîne les forces de ses démons, engendre une tempête et envoie trois jeunes filles pour le séduire. Toutes ces tentations doivent, dans une logique négative, éloigner le futur Bouddha de son but, l'empêcher d'échapper au cycle des morts et des naissances. Des efforts vains. Siddharta Gautama, à l'issue de ces épreuves, parvient à l'Eveil.

Temps de la prédication

Quelques semaines après l'Eveil, le Bouddha commence à prêcher et prononce son sermon fondateur de Bénarès. Il s'adressera jusqu'à sa mort à tous les gens intéressés par son enseignement. Des plus érudits aux plus humbles, il les encourage à être libres de toute opinion, à ne pas accepter le point de vue de quelqu'un en se fondant sur son autorité ou sur un lien de sympathie, ni sur une spéculation intellectuelle. Le Bouddha explique qu'une attitude critique, fondée sur sa propre expérience, et une grande tolérance sont les portes de la vraie compréhension de la vérité.

Fin de la vie du Bouddha

Après quarante-cinq ans de prédications, d'enseignements dispensés au long de ses pérégrinations sur les routes de l'Inde du Nord, le Bouddha, pèlerin infatigable jusqu'alors, sent venir sa fin prochaine. Il retourne malade dans le pays de son enfance pour l'« Extinction Suprême » à l'âge de

Bouddha dans le sanctuaire de Swayambunath, Népal.

quatre-vingts ans. L'ultime trépas marque son entrée dans le Nirvana. Cet homme exceptionnel laisse par oral au monde le Dharma (la Doctrine).

■ Astrologie chinoise : la légende rapporte qu'au moment de quitter la terre, le Bouddha convie tous les animaux à venir lui faire leurs adieux. La plupart n'honorent pas cette invitation. Douze seulement répondent. Le premier animal venu vers l'Eveillé est le rat. Arrivent ensuite le buffle, le tigre, le lièvre, le dragon, le serpent, le cheval, la chèvre, le singe, le coq, le chien puis le sanglier. Pour les en remercier, le Bouddha donne alors leur nom à chaque année du calendrier chinois.

Les autres Bouddhas

Le terme de « Bouddha » désigne les êtres Eveillés qui ont précédé et qui suivront le Bouddha historique. Selon les textes les plus anciens, Gautama, le Bouddha de notre ère, n'est que l'un d'eux, l'avant-dernier. Il y a eu avant lui dans la nuit des temps six Tathagatas (« Ceux qui sont venus ») ou six Bouddhas successifs (chacun pour chaque temps) : Vipasyin, Sikhin, Visabhu, Krakucchanda (le Bouddha de la dissolution), Kanakamuni (le Sage couleur d'or) et Kasyapa (le Lumineux Protecteur). Ils sont appelés les « Manushi Bouddhas ». Ensemble, avec Gautama, ils constituent dans l'iconographie bouddhique traditionnelle les Sept Bouddhas du passé. Certains textes évoquent quarante-cinq Bouddhas du passé, voire cent ! Dans un temps encore non advenu, se manifestera un Bouddha-à-venir. Il s'agit de Maitreya.

Maitreya

Ce bodhisattva, le « Bien-Aimant », sera le prochain Bouddha à apparaître dans ce monde. La légende dit qu'il « viendra 5 milliards 656 millions d'années après la mort du Bouddha Gautama ». Une manière imagée d'exprimer sa venue dans un avenir très lointain. Maitreya, le Bouddha futur, est l'un des plus vénérables qui soient dans le bouddhisme.

Une infinité de Bouddhas

Dans la tradition du Mahayana (Grand Véhicule) et du Vajrayana (Véhicule du Diamant), aux côtés des Tathagatas cités plus haut, existent d'innombrables Bouddhas. L'espace est rempli d'un nombre infini de mondes et chacun d'eux est régi par un Bouddha. Parmi eux, les Bouddhas de méditation (Dhyani), de la Lumière infinie ou Bouddhas patriarches. Ils correspondent aux cinq principes essentiels de la pratique de la méditation bouddhique, plus particulièrement à l'expression d'une sagesse.

Bouddhas de méditation

Ces cinq Bouddhas transcendants se trouvent au sommet du panthéon cosmique ; nommés également Jinas (« Victorieux »), ils personnifient les énergies fondamentales du Bouddha Gautama et constituent le corps de l'univers. Ces Bouddhas des points cardinaux occupent chacun une direction. A l'est : Aksobhya, « l'Inébranlable », sage semblable au miroir. Au sud : Ratnasambhava, « l'Origine des Joyaux », sage de l'équanimité (sérénité). A l'ouest : Amitabha, « la Lumière infinie », qui représente l'énergie du Lotus, symbole de la transmutation de la passion en pureté spirituelle. Au nord : Amoghasiddhi, « Celui qui réalise le but », qui représente la sagesse agissante. Et au centre : Vairocana, « le Tout rayonnant », celui qui illumine, exprime la sagesse de la loi universelle. Dans la mythologie du Vajrayana, existe le Bouddha suprême ou primordial, né de lui-même. Son nom : Adibuddha. Placée au-dessus du panthéon traditionnel, cette identité abstraite, omnipotente et omnisciente, a donné par sa méditation naissance à l'univers. Ce Bouddha originel n'est évoqué qu'à partir du IXe siècle par des enseignements de sectes népalaises et tibétaines. Le panthéon tibétain admet également des Bouddhas de médecine, dont le plus connu est le Bouddha Bhaisajya Guru.

Les bodhisattvas

Dans le Mahayana, les bodhisattvas sont des êtres spirituels promis à l'Eveil. Dégagés de tout attachement, ils sont sur le chemin de la perfection et se manifestent dans le monde pour le bien d'autrui. Les plus vénérés sont Maitreya (voir ci-dessus) et Avalokiteçvara.

Avalokiteçvara

Ce bodhisattva de la compassion (Tchènrézi en tibétain, Guanyin en chinois) est le plus vénéré du Mahayana et le plus populaire au Tibet. Manifestation du Bouddha suprême, Bouddha de Lumière infinie (Amitabha), Avalokiteçvara est à la fois une apparence et une essence. Il représente un mode d'être. Sa présence prend des formes multiples. Le dalaï-lama est considéré au Tibet comme une émanation d'Avalokiteçvara.

Les autres bodhisattvas

Il existe dans le panthéon vajrayaniste beaucoup de figures spirituelles. Si Avalokiteçvara symbolise la compassion, le bodhisattva Manjuçri représente la sagesse, le bodhisattva Vajrapani l'énergie et la puissance, le bodhisattva Vajrasattva la pureté de la conscience.

L'aspect féminin

Dans la représentation bouddhique, il accompagne les Bouddhas et les bodhisattvas. Cinq Bouddhas féminins correspondent aux cinq Bouddhas de méditation. Leur nom : Bouddhalocana, Mamaki, Pandaravasini, Samayatara et Vajradhatvesvari.
Les Taras (les « Libératrices ») blanche et verte sont les incarnations féminines d'Avalokiteçvara. Elles représentent la sagesse féminine des Bouddhas, les aspects fertiles et maternels de la compassion.

■ *Tchènrézi, le Grand Compatissant, n'est ni une fresque sur un mur, ni une figure sur une thangka ; Tchènrézi, c'est, telle qu'elle naît dans l'esprit d'un être, la compassion-vacuité s'épanchant sur tous avec la même ardeur que l'amour d'une mère pour son fils unique.* (Bokar Rimpotché, *Tchènrézi*, éditions Claire Lumière, 1990.)

QUELQUES FIGURES DU BOUDDHISME

Arthur Schopenhauer (1788-1860)
Le philosophe allemand, dans son œuvre principale *Le Monde comme volonté et comme représentation*, introduit en Occident les idées exprimées dans la doctrine du Bouddha. Notamment dans le quatrième livre de cet ouvrage qui expose « combien la souffrance est le fond de toute vie ». Le penseur de Francfort a à peine trente ans lorsqu'il considère que la douleur n'est pas accidentelle, mais inévitable ; que nulle puissance extérieure ne peut nous en délivrer ; que la négation de tout désir libère l'individu de l'illusion de l'égoïsme. La souffrance, selon Schopenhauer, provient de la volonté et du vouloir-être et il faut s'en délivrer comme le prêche le Bouddha. La pensée schopenhauerienne introduit dans la philosophie européenne la vision bouddhique de l'existence.

Alexandra David-Neel (1868-1969)
Femme intrépide et aventureuse, exploratrice et écrivain, elle est la première Occidentale à avoir pénétré, déguisée en mendiante, en 1924, dans la cité interdite aux étrangers : Lhassa, capitale du Tibet. Ses voyages dans toute l'Asie et sa recherche d'expériences mystiques l'ont conduite à faire connaître le bouddhisme en France.

Sa Sainteté le dalaï-lama
Né le 6 juillet 1935 au Tibet, Tenzin Gyatso est la

quatorzième réincarnation du dalaï-lama. Chef spirituel et temporel du Tibet, pays toujours occupé par les Chinois, il parcourt le monde en inlassable pèlerin pour enseigner le Dharma. Exilé en Inde à Dharamsala depuis 1959, ce moine, prix Nobel de la Paix en 1989, ne cesse de combattre pour la paix, le dialogue et la non-violence. Selon le dalaï-lama, la compassion, l'amour et la générosité constituent l'essentiel de l'existence. Pour les bouddhistes tibétains, Sa Sainteté Tenzin Gyatso incarne la perfection.

Kalou Rimpotché (1904-1989)
Né au Tibet dans la province du Kham, Kalou est reconnu comme la réincarnation d'un grand maître spirituel. Devant la brutale invasion chinoise dans les années 50, il part au Bhoutan puis s'installe à Sonada en Inde, en 1966, où il fonde un monastère. Les premiers Occidentaux qui s'y rendent et qui le rencontrent deviennent ses disciples. A la demande d'un grand nombre d'entre eux, il enseigne en Europe et en Amérique du Nord.
Il vient en France pour la première fois en 1971 pour révéler le bouddhisme tibétain. Et cela, malgré le scepticisme (dû aux différences culturelles) d'un grand nombre de ses pairs. Kyabdjé Kalou Rimpotché s'éteint le 10 mai 1989, assis en posture de méditation.
Le 17 septembre 1990, le dalaï-lama reconnaît en un petit garçon (fils du neveu de Kalou Rimpotché) la renaissance à Darjeeling en Inde du très vénérable maître.

Chögyam Trungpa (1940-1987)
Né sur un haut plateau du Nord-Est du Tibet, Chögyam Trungpa vit dans son pays jusqu'à l'occupation des troupes armées chinoises, qui le contraint à fuir sa patrie. Il étudie alors en Inde puis en Angleterre à Oxford. Pour les bouddhistes tibétains, ce Vénérable est la réincarnation de Trungpa Tulku, supérieur des monastères de Surmang au Tibet oriental. Pour les Occidentaux, ce moine est le premier à présenter sous une forme moderne les enseignements traditionnels du Vajrayana (Véhicule du Diamant). Il réside d'abord en Ecosse où il inaugure un centre bouddhiste tibétain d'étude et de méditation. Puis il s'installe aux Etats-Unis en 1970 où il fonde un institut. Professeur à l'université du Colorado, il transmettra à travers ses livres l'art de la méditation.

Le bodhisattva Avalokiteçvara. Dans sa coiffure, un médaillon à l'effigie du Bouddha. La main gauche tient un lotus, la droite s'ouvre pour dispenser les bienfaits.

Petite chronologie

Ne regrettez pas le passé, ne spéculez pas sur l'avenir. Vivez pleinement dans le présent.

Le Bouddha.

Après son Eveil, le Bouddha se rend à Bénarès prononcer son premier sermon. Sur sa route, dans les villes où il s'arrête, les habitants viennent l'honorer et lui apporter des offrandes.

Petite chronologie

Il y a deux mille cinq cents ans, naissait Siddharta Gautama : le futur Bouddha. Les historiens admettent qu'il vécut au VIe siècle avant notre ère, époque où l'humanité s'enrichit de sages et de penseurs exceptionnels. Les dates exactes de sa naissance et de sa mort demeurent incertaines. Devant le manque de documents précis et les calculs variables selon les écoles, les traditions et les calendriers, personne ne s'accorde unanimement. Les années retenues généralement en Occident sont 563 à 483 avant J.-C.
Le bouddhisme après le Bouddha se forge et se divise lors des premiers conciles. Son histoire est tristement marquée par des persécutions. Après avoir été exclusivement une tradition asiatique, c'est désormais une des composantes du monde occidental moderne.

Avant notre ère

Vers 563 av. J.-C. : Naissance du Bouddha.
Vers 483 av. J.-C. : Grande Totale Extinction du Bouddha.
Vers 477 av. J.-C. : Premier concile de la communauté bouddhique, qui se serait tenu à Rajagriha.

CONTEMPORAINS DU BOUDDHA

551-479 av. J.-C.
Confucius : Philosophe incarnant la sagesse chinoise. Sa doctrine : un grand amour pour l'humanité et une morale pratique essentiellement politique et sociale. Un altruisme à base de réciprocité, une éthique assurant la paix et l'ordre qui a modelé profondément le monde de culture chinoise.

570-490 av. J.-C.
Lao Tseu : Philosophe fondateur légendaire en Chine de la doctrine du divin Tao. Un grand sage dont on ne sait presque rien, qui guida, selon la tradition, les hommes vers la délivrance. Le taoïsme explique l'univers à partir des principes fondamentaux du Yin et du Yang, symboles du dualisme et de la complémentarité. Lui est attribué un traité qu'il aurait rédigé lui-même : le *Tao Te King.* Sa voie ressemble à celle du Bouddha.

VIe siècle av. J.-C.
Pythagore : Philosophe et mathématicien grec. Ayant gardé le souvenir de ses existences passées, il croyait en la transmigration des âmes. La métempsycose pythagoricienne est comparable à celle du bouddhisme.

Vers 576-480 av. J.-C.
Héraclite : Considéré comme le fondateur de la pensée dialectique moderne, ce philosophe grec opte pour l'éternel devenir, l'impermanence des choses.

Vers 650-583 av. J.-C.
Zarathoustra ou Zoroastre : Ce réformateur et prophète iranien a une haute conscience du bien et du mal. Il met l'accent sur le choix moral et la bonté.

Vers 377 av. J.-C. : Deuxième concile, à Vaishaali, qui révèle des divergences d'interprétation des différentes communautés.
Vers 269-232 av. J.-C. : Règne d'Açoka, empereur de l'Inde, propagateur de la doctrine au-delà des frontières de son empire.
Vers 241 av. J.-C. : Troisième concile à Pataliputra. Schisme et prologue au Mahayana. Désignation de missionnaires chargés d'aller prêcher le Dharma à Ceylan et en Birmanie.

■ Au IIIe siècle avant notre ère, l'empereur Açoka, unificateur des Indes, après la conquête guerrière du Kalinga (Orissa, province orientale de l'Inde sur le golfe du Bengale) et le massacre de milliers de personnes, se tourne vers le bouddhisme. Bien que souverain, il devient moine (*bhikkhu*) et exhorte ses sujets à le suivre sur la voie bouddhique. En envoyant des missionnaires dans presque toute l'Asie, il jouera un rôle primordial dans la propagation du bouddhisme.

Après les premiers conciles

An 65 : Introduction du bouddhisme en Chine par la Route de la soie.
Vers l'an 88 : Début de la rédaction des premières Ecritures bouddhiques palies (langue ancienne) au Sri Lanka.
Vers 300 : Le Theravada – doctrine des Anciens – pénètre au Siam (Thaïlande).

372 : Introduction du bouddhisme en Corée par le moine chinois Chouen-Tao.
VIe siècle : Introduction du bouddhisme au Japon et au Laos.
520 : En Chine, le moine Bodhidharma fonde l'école bouddhique de méditation.
527 : Le bouddhisme devient « religion d'Etat » au royaume de Silla (Corée).
610 : Le bouddhisme devient « religion d'Etat » au Japon.
618-907 : Apogée sous la dynastie Tang du bouddhisme dans toute la société chinoise.
VIIe siècle : Naissance du Vajrayana, une émanation du Mahayana. Début de l'art bouddhique khmer au Cambodge.
VIIIe siècle : Pratique du bouddhisme Mahayana en Indonésie. Construction à Java de Borobudur.
Vers 750 : Véritable fondation du bouddhisme au Tibet avec Padmasambhava venu de l'Inde.
1181-1186 : Apogée du bouddhisme Mahayana au Cambodge. Construction d'Angkor Thom.
Fin du XIIe siècle : Destruction de l'université mahayaniste de Nalanda par les musulmans et opposition des brahmanes à la doctrine de l'Eveillé. Fin du bouddhisme en Inde.
Fin du XIIIe siècle : Disparition au Cambodge du Mahayana au profit du Theravada via le Siam.
XIVe siècle : Première conversion de la Mongolie au bouddhisme tibétain.

Fin du XVe siècle : Expansion de l'islam en Indonésie et disparition du bouddhisme.
1635-1723 : Vie de Zanabazar, chef spirituel et premier Bouddha mongol.
1871: Cinquième concile en Birmanie à Mandalay.

Au XXe siècle

1924-1937 : Eradication du bouddhisme en Mongolie durant la révolution communiste stalinienne.
Fin 1949 : Entrée des premières troupes de l'armée populaire chinoise au Tibet pour « le libérer des forces impérialistes et des superstitions locales ».
1954, le 17 mai : Sixième concile en Birmanie à Rangoon.
1956, le 23 mai : Commémoration du 2 500e anniversaire du Bouddha.
1959 : Exil du dalaï-lama avec plus de 100 000 réfugiés vers l'Inde.
1987 : Violente répression à Lhassa, au Tibet, suite à des manifestations de moines et de nonnes.
1989, le 5 octobre : Tenzin Gyatso, le XIVe dalaï-lama, est couronné par le jury d'Oslo en Norvège du prix Nobel de la Paix. C'est en « simple moine » bouddhiste qu'il s'adresse au comité du

Nobel, le 11 décembre, avant de conclure par une courte prière.

Les persécutions

« Le bouddhisme a rendu complètement et définitivement pacifiques des peuples qui étaient parmi les plus belliqueux et même sanguinaires du monde, comme les guerriers mongols ou tibétains. Mais il a été totalement éliminé d'immenses régions qu'il dominait complètement ou presque comme les Indes, l'Asie centrale (Gandara-Bactriane, Cachemire, Afghanistan, Ouzbékistan, etc.) et l'Indonésie parce que les bouddhistes, plutôt que de résister à la violence par la violence, se sont laissé massacrer par les Huns Hephtalistes (« blancs ») en Inde et en Asie centrale, par les brahmanes en Inde et en Indonésie, et par les musulmans dans ces trois régions (Persans dans les deux premières). » (Serge-Christophe Kolm, *Le Bonheur-liberté*, PUF, 1982.)

Fin des années 30 - Mongolie

Le régime du maréchal Tchoilbalsan, avec l'aide de la police secrète soviétique, fait exécuter des dizaines de milliers de moines. Le pouvoir révolutionnaire mongol considère que le bouddhisme est l'ennemi « idéologique » du communisme.

Date 28/05/04

Account name

Account number

Notes	£50		
	£20		
	£10		
	£5		
Coins	£2		
	£1		
Silver			
Bronze			
Total cash			
Total Chqs			
	£	873	23

Cheques,etc	£	p
Total Cheques, etc £		

Monastère tibétain.

Environ 700 lamaseries sont détruites sur ordre de Staline et leurs occupants assassinés. Si l'ampleur des purges est encore difficile à estimer, la découverte de charniers de moines bouddhistes en 1991 révèle qu'il y a eu un nombre considérable de victimes. Peut-être plus de cent mille...

1963 - Vietnam

Au Sud-Vietnam, pendant la guerre, discrimination puis répression sont ordonnées par le président Ngo Dinh Diem envers les bouddhistes. Le bonze (moine bouddhiste) Thich Quang Duc, de la pagode Thien Mu située à Hué, se sacrifie à Saigon le 11 juin 1963 en s'immolant dans la posture du Bouddha assis. Un moyen extrême pour faire entendre au monde les souffrances que sa communauté éprouve. L'image de ce sacrifice par le feu fera la une de la presse internationale.

1975 - Vietnam

Après la réunification du Vietnam, le régime de Hanoi envoie des milliers de moines en camp de rééducation et confisque une partie des biens et des richesses des pagodes. Une nouvelle répression dramatique frappe bonzes et bonzesses.

1975 - Cambodge

Les Khmers rouges (communistes cambodgiens) assiègent Phnom Penh et prennent le pouvoir. Les moines font l'objet de terribles persécutions. 50 000 sont massacrés sur les 80 000 que comptait auparavant la communauté cambodgienne. Près de 2 000 pagodes sont détruites. A la tête de cette sanglante persécution : le tortionnaire Pol Pot. Le même qui fut pendant six ans un jeune moine bouddhiste !

1987 - Tibet

A l'automne de cette année, des milliers de manifestants descendent dans les rues de

Lhassa. Encore une fois, la réponse chinoise est la violence. Mais cette fois, des touristes sont là. Ils témoignent de la brutalité des troupes d'occupation. Dans un nouveau virage stratégique, les Chinois prennent actuellement une option beaucoup plus insidieuse : la sinisation du Tibet en installant des millions de Chinois afin de rendre minoritaires les Tibétains dans leur propre pays.
Depuis l'invasion de la Chine, ce pays connaît de terribles persécutions. Un véritable « génocide culturel » qui a entraîné près de 150 000 Tibétains vers l'exil. Dans leurs efforts d'anéantissement, les communistes détruisent méthodiquement plus de 6 000 monastères et temples. La révolution culturelle n'épargnera pas les bouddhistes tibétains. Plus d'un million de victimes meurent sous l'oppression des occupants. Soit un sixième de la population.

1993 - Vietnam

En mai, un bonze s'immole par le feu à Hué, au centre du Vietnam, pour protester contre des arrestations de religieux par les autorités communistes.

■ *La haine ne peut jamais arrêter la haine, seul l'amour peut arrêter la haine ; cette loi est ancienne.* (*Dhammapada.*)

Quelques repères

Santal, tagara, lotus, jasmin...
De tous ces parfums, le parfum de l'éthique est de loin le meilleur.

Dhammapada.

Quelques repères

Le bouddhisme n'est ni un dogme, ni une morale mais une méthode de connaissance et d'expérience. Est-ce pour autant une religion ? Reposant sur un principe de liberté individuelle, la doctrine bouddhique insiste sur l'absence de vérité révélée et propose de toujours se soumettre à sa propre vérification. Cette loi bouddhique (Dharma), bien que transmise par le Bouddha lui-même, est censée fonctionner indépendamment de lui. Les pratiquants prennent refuge dans les « Trois Joyaux » : le Bouddha, la doctrine et la communauté bouddhiste.
Au cours de son histoire, le bouddhisme donne naissance à trois courants principaux : le Hinayana, le Mahayana et le Vajrayana. L'approche varie selon les pays. Bouddhisme tibétain, bouddhisme zen (en Chine, en Corée et au Japon)... quels que soient les usages, la doctrine demeure fidèle à la quête de l'Eveillé : se libérer par la sagesse et la compassion de l'illusion et de l'ignorance qui sont à la source du malheur de l'homme.

Pèlerin tenant à la main une clochette rituelle et un moulin à prière.

Le bouddhisme est-il une religion ?

Libre arbitre

Ce courant spirituel se situe en dehors de la question de Dieu. Le bouddhisme n'est ni théiste, ni athée. Il n'est pas question de foi ou de croyance. Chacun choisit son chemin. Certains bouddhistes croient en Dieu, en des dieux, d'autres en des divinités. Il y en a aussi qui pensent que Dieu n'existe pas.

■ *Le bouddhisme est une religion dans la mesure où il traite des choses cachées que nous ne pouvons pas prouver matériellement. Toutefois, si une religion implique un dieu, un créateur, alors le bouddhisme n'est pas une religion.* (Le XIVe dalaï-lama.)

Ethique

Le terme « enseignement » semble désigner plus justement le bouddhisme. Même si dans la transmission du Dharma, des fidèles – selon la « foi du charbonnier» bouddhiste – vénèrent le Bouddha Gautama comme Dieu et non comme le sage des sages... Le bouddhisme se définit plus comme une façon d'être dans le monde, une éthique de vie, bien qu'il tienne socialement des fonctions identiques à celles des religions. Le bouddhisme est un éveil intérieur au religieux – strictement dans le sens étymologique de se « relier » (*religare* en latin) au sacré.

■ Quand des disciples interrogent le Bouddha et attendent une réponse métaphysique sur l'origine de l'univers, il préfère formuler une parabole. *Lorsqu'un homme est blessé par une flèche et qu'il veut savoir qui l'a envoyée, quel est le nom de son agresseur, sa caste, la distance qui le sépare, il se met en danger de mort. Moi, dit le Bouddha, j'enseigne à ôter la flèche.* (Histoire contée dans le *Cula Malunkyasutta, Majjhimanikaya.*)

Méditation

Contemplation, discipline mentale, récitation de mantras (formules sacrées) sont des aspects de la méditation qui participent activement à l'enrichissement spirituel. La méditation bouddhique permet, selon les pratiquants, de vivre l'intelligence de l'instant, de sortir de l'illusion, de la confusion et de l'agitation du moi.

■ *Si nous nous bornons à attendre patiemment que, d'elle-même, la souffrance disparaisse et que le bonheur s'offre à nous, un tel miracle ne se produira jamais...* (Le XIVe dalaï-lama.)

Les Trois Joyaux

Les fidèles bouddhistes possèdent Trois Joyaux : le Bouddha Gautama, le Dharma (la doctrine ou la loi) et le Sangha (la communauté). La « prise de refuge » dans les Trois

Arhats, premiers disciples du Bouddha,
ayant atteint la dernière étape de la libération.

Joyaux – attitude intérieure célébrée par une cérémonie – est le premier engagement « officiel » d'un bouddhiste.

Bouddha Gautama

Fondateur historique du bouddhisme, Siddharta Gautama incarne un modèle de sagesse, une figure exemplaire, l'archétype de la pratique bouddhiste.

Dharma

Cette « doctrine du salut » constitue un système éthique et non une interrogation métaphysique que le Bouddha considère comme inutile. Le Dharma est une méthode, rien qu'une méthode qui repose sur la raison et l'expérience de chaque être. Une loi très spirituelle et très pure. Une voie de délivrance, de paix et d'éveil intérieur. Hors de la question de Dieu. L'essentiel du Dharma est contenu dans le sermon de Bénarès – prêché par le Bouddha après son « Illumination » – qui expose les Quatre Nobles Vérités. Elles révèlent l'esprit du bouddhisme. Ce sermon fondateur est un plan de conduite, une invitation à suivre librement des préceptes qui permettent de diminuer la douleur de vivre.

Sangha

Gautama fonde la première communauté bouddhique (Sangha) avec ses cinq compagnons ascètes qui se convertissent après avoir tout d'abord rejeté ses paroles. Très rapidement, de nouveaux membres viennent grossir la toute première communauté. Celle-ci, constituée de moines et de fidèles laïcs, n'a pas de hiérarchie d'autorité. Les individus y appartenant ne prononcent pas de vœu d'obéissance. Il n'existe pas de fonction sacerdotale. L'engagement premier se fonde sur la prise de refuge dans les Trois Joyaux. Seuls des préceptes doivent être suivis.

九十四歲白石

Qi Baishi, *Feuilles de l'arbre de la Bodhi et insectes.*

C'est sous cet arbre (*Ficus religiosa*) que le Bouddha a atteint l'Eveil.

Qi Baishi, *Lotus et grenouilles.*

Le lotus, émergeant de l'obscurité des eaux dans la lumière, symbolise l'épanouissement spirituel. Le Bouddha est souvent représenté assis sur un lotus, qui exprime sa nature délivrée de la boue du Samsara. Le lotus aux huit pétales est parfois assimilé aux huit rayons de la Roue de la loi, dont le cœur occupe le centre.

■ Pour les bouddhistes, la fête la plus importante est le Vesak. Elle célèbre la naissance, l'Eveil et le trépas du Bouddha, ainsi que les Trois Joyaux du bouddhisme. Elle a lieu lors de la pleine lune, en mai ou en juin de chaque année. Ce jour est consacré à la méditation et à la paix.

Les Quatre Nobles Vérités

Je n'enseigne qu'une chose, ô disciples : la Souffrance et la délivrance de la Souffrance. (Le Bouddha, *Samyutta Nikaya.*)
Le cœur du Dharma réside dans le sermon de Bénarès, un texte de référence qui présente les Quatre Nobles Vérités.

Première Noble Vérité : *Voici, ô moines, la noble vérité sur la souffrance. La naissance est souffrance, la vieillesse est souffrance, la maladie est souffrance, la mort est souffrance, être uni à ce que l'on n'aime pas est souffrance, être séparé de ce que l'on aime est souffrance, ne pas réaliser ce que l'on désire est souffrance ; en résumé les cinq agrégats d'attachements sont souffrance.*
Deuxième Noble Vérité : *Voici, ô moines, la noble vérité sur la cause de la souffrance. C'est le désir qui produit la ré-existence et le redevenir, qui est lié à une avidité passionnée et qui trouve une nouvelle jouissance tantôt ici, tantôt là, c'est-à-dire la soif des plaisirs des sens, la*

soif de l'existence et du devenir, et la soif de la non-existence.
Troisième Noble Vérité : *Voici, ô moines, la noble vérité sur la cessation de la souffrance. C'est la cessation complète de cette soif, la délaisser, y renoncer, s'en libérer, s'en détacher.*
Quatrième Noble Vérité : *Voici, ô moines, la noble vérité sur le chemin qui conduit à la cessation de la souffrance. C'est le noble chemin octuple, à savoir : la compréhension juste, la pensée juste, la parole juste, l'action juste, le moyen d'existence juste, l'effort juste, l'attention juste et la concentration juste.* (In *Mahavagga*.)

La souffrance

La première Noble Vérité se fonde sur un constat : l'existence pour tout être est synonyme de douleur (le terme Doukkha utilisé par les bouddhistes signifie douleur, souffrance, insatisfaction, misère, agitation). Tous les événements d'une vie sont sources de souffrance. Personne n'y échappe et ne peut s'y soustraire. Pour les bouddhistes, reconnaître cette Noble Vérité n'est pas pessimiste comme les Occidentaux le supposent. D'abord parce que cette analyse ne se produit pas sous l'emprise des émotions ; ensuite, parce que cette vérité – à l'exemple du Bouddha – peut être surmontée par les hommes qui, par la méditation et la compassion, admettent l'impermanence de l'existence.

La cause de la souffrance

Le désir et l'ignorance sont à l'origine de la douleur. Le désir tisse nos actes. La souffrance résulte de la dualité et des limites liées au Samsara et au Karma. Selon les bouddhistes, elle apparaît dès lors qu'il y a croyance en un « Soi », en une âme ou en un « Je » totalement distinct du corps et de l'esprit. Le bouddhisme part du principe que tout ce qui est composé est non permanent et que tous les phénomènes sont vides d'existence propre. Ces derniers points sont essentiels dans le Dharma. Les textes bouddhiques commentent longuement cette notion de « vacuité » (en Occident, cette notion est trop souvent confondue avec le néant). Dire qu'il n'y a pas de Je ou de Moi ne signifie pas que les bouddhistes réfutent l'existence d'un Je ou d'un Moi ; ils disent que Je ou Moi n'existe pas en soi, ce Je n'est qu'une somme d'éléments et de phénomènes qui le composent (corps, pensées, émotions, etc.). Le Dharma est la doctrine du non-soi et de l'impermanence.

La cessation de la souffrance

Pour éliminer la souffrance, il faut supprimer le désir, l'attachement et l'ignorance. Renoncer au « vouloir-être », effacer l'ego. Et donc bien connaître les causes et les analyser. Le désir, dans l'enseignement bouddhique, doit cesser et non être refoulé. Réprimé, le désir provoque des troubles. En cela l'analyse freudienne se rapproche du bouddhisme.

La voie conduisant à la cessation de la souffrance

Les moyens pour ne plus souffrir résident dans le Noble Octuple Sentier ou Voie de la Délivrance (huit principes donnant la vision et la connaissance). De sa propre expérience, le Bouddha déconseille l'ascétisme comme la recherche des plaisirs et prêche la « Voie moyenne », ce juste milieu si évident et si difficile à atteindre. Pour que cessent les maux, le remède est un mode de vie, appelé le Noble Octuple Sentier. Cette voie se compose de la conduite éthique (parole, action et moyen d'existence justes) tendant à ne causer aucune douleur à autrui, la discipline psychique (effort, attention et concentration) pour acquérir la volonté par la maîtrise et la vigilance, et la sagesse (compréhension et pensées justes) pour parvenir à la paix.

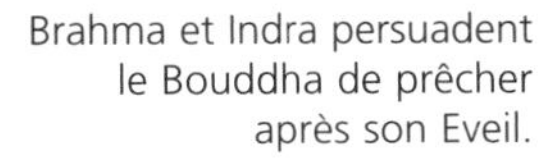
Brahma et Indra persuadent le Bouddha de prêcher après son Eveil.

Bouddhisme et brahmanisme

Le bouddhisme est apparu dans une société brahmanique (système social et spirituel caractérisé par la suprématie de la caste sacerdotale des brahmanes). Le Bouddha présuppose en partie les doctrines des *Véda* et des *Upanishad* – textes religieux de l'Inde ancienne. Notamment le Karma, le Samsara et l'illusion des apparences. Mais il rejette le ritualisme, les sacrifices ainsi que l'existence de l'âme en tant que constante spirituelle. L'Eveillé s'oppose également au système des castes.

Karma

Dans les traditions védiques, brahmaniques et bouddhiques, la loi du Karma, loi naturelle de la cause et de l'effet, conditionne les naissances et renaissances. Tous les actes, toutes les pensées, toutes les paroles produisent inévitablement des conséquences heureuses ou mauvaises. Cette approche n'est pas exclusivement bouddhiste. L'Egypte ancienne, le brahmanisme, le pythagorisme et le christianisme à ses origines adhèrent différemment à la loi karmique. Pour les bouddhistes, chaque incarnation détermine la suivante.

■ *Si vous désirez connaître votre vie passée, examinez votre condition présente ; si c'est votre vie future que vous désirez connaître, examinez vos actions présentes.* (Padmasambhava.)

Samsara

Dans la pensée indienne, tous les hommes sont soumis au Samsara, c'est-à-dire au cycle des existences, de la naissance, de la mort et de la renaissance, tant qu'ils demeurent dans l'illusion et l'ignorance. Et cela, jusqu'à la délivrance finale du Nirvana. La personne n'est qu'un agrégat provisoire, un support au flux karmique qui se modifie continuellement et se dissout à la mort. Les bouddhistes ne croient pas en l'existence de l'âme mais en une conscience qui transmigre de corps en corps. Seuls survivent le désir et les restes des vies antérieures, qui empêchent d'échapper au Samsara.

■ *Ni dans le ciel, ni au milieu de la mer, ni dans les crevasses les plus profondes des montagnes, il n'existe un endroit où l'homme puisse être absous d'une mauvaise action. (Dhammapada.)*

Nirvana

Par la dissolution du moi individuel, le Nirvana est l'extinction qui apporte la paix et le bonheur, la délivrance de tous les effets du Karma. Passage du monde illusoire des phénomènes (Samsara) à la vacuité suprême.

■ *Toutes les voies bouddhistes et non bouddhistes qui virent le jour en Inde sont fondées sur la recherche du bonheur.* (Le XIVe dalaï-lama.)

Les trois branches du bouddhisme

Dans la tradition bouddhique, le chemin de développement spirituel est décrit en termes de « Yana » ou « Véhicule ». Les écoles se comptent par dizaines – cela s'explique par les adaptations du bouddhisme aux spécificités géographiques, aux croyances pré-bouddhiques locales, aux époques et à l'histoire culturelle. Mais le bouddhisme se divise en trois courants principaux ou trois Véhicules : le Hinayana, le Mahayana, le Vajrayana.

Prières, chorten et mantras gravés sur des pierres, que les fidèles tibétains déposent au bord des chemins.

Hinayana

Les tenants de l'Hinayana (Petit Véhicule) ou Theravada, appelée aussi l'école du Sud, s'attachent à la doctrine fondamentale dite primitive du bouddhisme, notamment les Quatre Nobles Vérités. Ce « Yana » passe pour le plus fidèle à l'enseignement du Bouddha. Le but principal est de se libérer de la souffrance. La vie monastique y est primordiale. En supprimant les émotions conflictuelles, en observant une éthique et en prenant conscience de la vacuité, cette voie tend à l'état d'arhat (« vainqueur de l'ennemi »), c'est-à-dire à triompher des émotions. Le terme Hinayana, imaginé par les pratiquants des autres Véhicules et utilisé généralement en Occident, est dépréciatif pour les adeptes de cette voie. Ils préfèrent le terme Theravada (Doctrine des Anciens), la seule des quatre branches du Hinayana à subsister aujourd'hui.

Mahayana

Le Mahayana (Grand Véhicule), appelé aussi l'école du Nord ou Véhicule des Bodhisattvas, met l'accent sur l'amour et la compassion. Il se fonde sur les pratiques du Hinayana en privilégiant la libération de tous les êtres. Il prône l'altruisme. Le bonheur individuel n'est pas une fin en soi. Les disciples du Mahayana accumulent mérites et sagesse. Ils visent à devenir des bodhisattvas (des êtres sur le chemin de l'Eveil), considérant que tous les êtres sans distinction sont des Bouddhas en puissance. Pour eux, il ne tient qu'à chacun de prendre la voie qui conduit au salut de la perfection et de la vérité. Les Mahayanistes considèrent qu'il y a une multitude de Bouddhas.

Vajrayana

Les adeptes du Vajrayana (Véhicule de Diamant) ou tantrisme, appelé également bouddhisme ésotérique, considèrent le Hinayana et le Mahayana comme les étapes successives qui mènent au tantrisme. Le Vajrayana est une branche du Mahayana qui se distingue par des pratiques et des rites ésotériques impliquant totalement le disciple. La quête de l'Eveil passe dans cette tradition par le corps, la parole et l'esprit. Selon les Vajrayanistes, l'Eveil peut être atteint en une seule vie. Toutes les expériences directes – y compris celles des désirs et des passions – participent à la conquête de la liberté suprême. Dans cette démarche, un guide spirituel est indispensable tant les dangers peuvent être grands. « Le Vajrayana considère que tout est fondamentalement pur. L'état d'être ordinaire n'est que la non-réalisation de cette pureté... Les méthodes du Vajrayana se proposent d'opérer la transformation de l'impur en pur » (Kalou Rimpotché, *Bouddhisme ésotérique*, éditions Claire Lumière, 1993).

■ Le Hinayana est un bouddhisme méridional. Il est pratiqué en Birmanie, au Cambodge, au Laos, au Sri Lanka, en Thaïlande et au sud du Vietnam.
Le Mahayana est un bouddhisme septentrional. Cette école prédomine en Chine, en Corée et au Japon.
Le Vajrayana est le véhicule le plus répandu en Mongolie et au Tibet.
Le Véhicule du Diamant est aussi désigné sous le terme de Tantrisme car les enseignements du Vajrayana sont consignés dans des textes ésotériques appelés *Tantras*.

Les autres bouddhismes

Le Tibet, la Chine et le Japon, par leurs sages et érudits, ont approfondi la doctrine d'origine indienne et concourent à garder vivant l'enseignement de l'Eveillé.

Bouddhisme tibétain

Pareil à un arbre qui aurait beaucoup de branches, le bouddhisme tibétain doit se conjuguer au pluriel. Il contient à la fois les pratiques du Hinayana pour la discipline, les pratiques du Mahayana pour le bien d'autrui (via les Six Perfections ou *paramitas* : don, éthique, patience, diligence, méditation et connaissance) et les pratiques du Vajrayana en tant que dépositaire des Tantras.
Malgré les différences ou divergences, plus politiques que spirituelles au regard d'un contexte

historique complexe, les écoles bouddhiques au Tibet partagent la même vue et les mêmes pratiques. Avec un but commun et altruiste selon le dalaï-lama : « développer la pensée d'éveil pour le bien des autres ».

Le bouddhisme tibétain est transmis par quatre écoles principales ou quatre ordres. Il existe de nombreuses subdivisions à l'intérieur de ces ordres et, en marge, plusieurs ordres mineurs.

Ecole des Nyingmapas : Pionnier de la doctrine, cette école – la plus ancienne au Tibet – est fondée au VIIIe siècle par des maîtres indiens dont Padmasambhava. A la demande du roi du Tibet, Trisong Détsen (742-797), elle introduit le bouddhisme au pays des neiges à partir des premières traductions datant du VIIe siècle. Sa tradition repose sur la pratique de yogas spirituels (techniques de contrôle physique et psychique).

Ecole des Guélugpas : Cette lignée fondée près de Lhassa au XVe siècle par Tsongkhapa représente « la tradition de la vertu » et prend avec le cinquième dalaï-lama le pouvoir temporel et spirituel sur le Tibet. Les moines y apprennent la maîtrise de la logique et la joute philosophique.

Ecole des Sakyapas : Son nom vient de son lieu d'origine, dans la province tibétaine du Tsang : Sakya (qui signifie « la terre grise »). Fondé au XIe siècle par le maître Kunga Nyingpo, cet ordre est réputé pour la qualité d'érudition de ses membres.

PAROLES ZEN

Zen : mot japonais qui vient du terme chinois *tch'an*, dont l'origine en sanskrit est *dhyana* qui pourrait être traduit par « méditation ».

En ce qui concerne le zen, l'expérience est tout. Tout ce qui n'est pas basé sur l'expérience est extérieur au zen.

Tchen-tching K'e-ouen.

Avant qu'un homme étudie le zen, pour lui les montagnes sont des montagnes et les eaux des eaux ; lorsque, grâce aux enseignements d'un bon maître, il a réalisé une vision intérieure de la vérité du zen, pour lui, les montagnes ne sont plus des montagnes et les eaux ne sont plus des eaux. Mais après cela, lorsqu'il parvient réellement à l'asile du repos, les montagnes sont de nouveau des montagnes et les eaux des eaux.

Tsing-iuan.

S'oublier soi-même, c'est être reconnu par le cosmos tout entier.

Maître Dogen.

Bouddhisme et modernité

La pensée bouddhique et l'Occident moderne partagent des traits fondamentaux : le primat de la raison, la tolérance, le cheminement individuel, l'appréciation du beau, le respect de l'environnement. Pour le Bouddha, le doute incite à la recherche, et la recherche mène à la connaissance. Un point de vue que les scientifiques partagent avec le prince de la compassion.

■ *Le bouddhisme est la meilleure chose qui puisse arriver à nos sociétés stressées, paniquées, hystériques, car c'est la meilleure machine anti-stress...* (Lawrence Durrell.)

Bouddhisme et marxisme

L'enseignement spirituel bouddhique produit une transformation entière de la vie, une révolution lumineuse pour lutter contre l'aliénation de l'existence. Pour le Bouddha, les castes de naissance sont sans valeur. Seule l'amélioration de la condition humaine compte. En ce sens, il existe des points de convergence avec le marxisme. La comparaison s'arrête là. L'histoire contemporaine a montré la farouche détermination de l'idéologie matérialiste à éliminer l'enseignement du Bouddha.

Le XIVe dalaï-lama a déclaré à plusieurs reprises qu'il existait un terrain commun entre marxisme et bouddhisme. « Dans les années 1954-1955, en Chine, j'ai étudié des aspects du marxisme. Ce qui m'a frappé, c'est son aspect internationaliste et prolétarien, en vertu duquel, par-delà les frontières, tous les hommes sont égaux. Le bouddhisme se préoccupe avant tout de ceux qui souffrent, de même que, dans la théorie économique marxiste, la distribution de la richesse passe avant son accroissement » (*Le Monde* du 22 avril 1989). Tout en condamnant le marxisme totalitaire : « Le marxisme, en principe, a le souci du plus grand nombre, et surtout des plus pauvres. C'est bien. La dictature du prolétariat est normale, car il faut lutter fermement, presque de façon agressive, contre les exploiteurs... Mais il y a une faille : le marxisme utilise l'énergie de la haine contre les riches. Et après la bataille, ces régimes n'ont plus rien à offrir aux hommes que la logique de haine » (*Nouvel Observateur* du 28 octobre 1993).

■ *Si nous pouvons dialoguer, le bouddhisme, dont l'essence est l'altruisme, pourra beaucoup contribuer à construire un socialisme authentique.* (Le XIVe dalaï-lama.)

Bouddhisme et psychanalyse

La doctrine du Bouddha consiste d'abord en une connaissance du psychisme. Elle guérit comme la psychanalyse les blessures humaines. La relation maître-disciple peut évoquer le rapport psychanalyste-psychanalysé. Bien avant Freud, dès l'origine du bouddhisme, la voie de la délivrance scrute l'inconscient, les émotions refoulées, les racines de la peur et des actions, le désir et les douleurs qui en découlent. Ses vertus thérapeutiques sont indéniables. Le Bouddha en libérateur de la pensée est un précurseur de la modernité.

■ *En tant que médecin, je reconnais l'aide et la stimulation immenses que j'ai reçues des enseignements bouddhistes.* (C. G. Jung.)

Sa diffusion dans le monde

Ne me regardez pas,
regardez plutôt mon Enseignement.

Le Bouddha.

Sa diffusion dans le monde

Le bouddhisme est originaire de l'Inde, des contreforts des Himalayas, là où est né le Bouddha Gautama. Cette tradition s'est étendue essentiellement en Asie. De caractère œcuménique, l'enseignement bouddhique se répand sur une aire gigantesque, des régions hellénisées du Turkestan aux archipels japonais et indonésiens. L'Occident, par des récits de voyageurs aux XIXe et XXe siècles, puis plus récemment par la venue de maîtres bouddhistes en Europe et en Amérique, découvre la « doctrine de l'Eveillé » avec un intérêt croissant. En France, la communauté bouddhique attire de plus en plus de fidèles.

Sur les traces du Bouddha

Le site de la nativité

Le Bouddha est né au VIe siècle avant notre ère dans un royaume de l'Inde du Nord (au sud du Népal actuel), au pied de la chaîne himalayenne. En plein Teraï près de la cité de Kapilavastu, dans un parc appelé Lumbini. L'endroit est marqué par une sentence gravée dans la pierre.

Vieillard priant, Népal.

Lieu de l'Eveil

Gautama parvient à l'Illumination à Bodh Gaya, bourgade du Bihar (région située dans le Nord-Est de l'Inde, aujourd'hui limitrophe du Népal), un jour où il s'était assis pour méditer sous l'arbre de la *bodhi*, un figuier symbole de la science et de la connaissance. C'est l'un des hauts lieux du bouddhisme. Le temple Mahabodhi, qui daterait du VIIe siècle et qui fut maintes fois restauré, signale l'endroit où Gautama est devenu le Bouddha.

Premier sermon

A quelques kilomètres au nord de Bénarès, au parc des Gazelles dans les faubourgs de Sarnath, le Bouddha enseigne à ses cinq premiers disciples, cinq compagnons avec lesquels il vécut avant son Illumination les mortifications ascétiques, l'essence de sa doctrine : les Quatre Nobles Vérités. Dans sa grande compassion, il décide, ici, de révéler le fruit de ses méditations et de son Eveil. Il prononce sur cette terre historique et légendaire sa première prédication, le sermon de Bénarès.

Ultime Extinction

A quatre-vingts ans, le Bouddha meurt à Kusinagara (aujourd'hui Kasia) dans le Bihar. Ce site se trouve entre le Gange et Katmandou. Il prononce alors ses dernières paroles à ses disciples, dont

Ananda : « Il pourrait se faire que vous pensiez : nous n'avons plus de maître. Il ne le faut pas, ô Ananda ! La doctrine que j'ai prêchée, voilà votre maître. En vérité, ô disciples, tout ce qui est créé est périssable. Luttez sans relâche. » Après son extinction, son corps fut brûlé dans le sanctuaire des princes Malla.

Les hauts lieux du bouddhisme en Asie

Après la disparition du Maître, ses disciples diffusent le Dharma au gré de leurs pérégrinations. Le bouddhisme s'étend, en plusieurs siècles, sur toutes les terres d'Asie. Il participe de très près à la vie quotidienne des pays d'Extrême-Orient. Temples, pagodes, monastères, *vats* (temples bouddhiques au Laos et au Cambodge, appelés *wats* en Thaïlande), *dojos* (« salles de la voie » zen) et autres édifices bouddhiques demeurent des espaces où toutes les générations et toutes les classes sociales se retrouvent.

Bhoutan

Ce royaume niché entre le Tibet, le Sikkim et l'Inde préserve ses richesses spirituelles. Petit pays himalayen, le Bhoutan est aujourd'hui le seul où le Mahayana (Grand Véhicule) sous la forme du Vajrayana est officiellement « religion d'Etat ». Le bouddhisme est omniprésent dans la société bhoutanaise et ses principes dictent la vie quotidienne. L'introduction du bouddhisme date du VIIe siècle. Le monarque tibétain Songtsen Gampo y aurait fait construire deux temples. La venue, des décennies plus tard, du grand maître tantriste Padmasambhava (« Guru Rimpotché » ou « Précieux Maître ») insuffle le Vajrayana (tantrisme). L'enseignement du Vénérable Tsangpa Gyare Yeshe Dorji (1161-1211) de l'école Drukpa Kagyupa pénètre au XIIIe siècle au Bhoutan occidental et prédomine peu à peu dans le Bhoutan central puis oriental. L'établissement de la monarchie héréditaire, le 17 décembre 1907, marque l'abolition de la théocratie mais n'amoindrit pas la force du bouddhisme. Fermé aux étrangers jusqu'en 1974, le Bhoutan, malgré son ouverture progressive au monde moderne, protège ses trésors traditionnels bouddhiques.

■ L'école bouddhique officielle du Bhoutan est celle des Drukpas, fondée au Tibet au XIIe siècle. Cette branche de l'ordre des Kagyupas domine à partir du XVIIe siècle (période d'unification du Bhoutan) l'histoire politique et religieuse des vallées du Pays du Dragon. L'école Nyingmapa est aussi présente dans cet Etat grand comme la Suisse.
Dzong : forteresse-monastère qui abrite au Bhoutan la communauté monastique Drukpa ainsi que le pouvoir administratif civil. Ces bâtiments fonctionnent sous la direction du gouverneur de chaque province.

Grand Bouddha couché à Rangoon, Birmanie. Sur la plante de ses pieds, la Roue de la Loi.

Cambodge

La pensée bouddhique paraît avoir été introduite au IVe siècle par des bouddhistes venus du nord. Avec une singularité spécifiquement khmère, le Dharma est associé aux pratiques shivaïstes et au vieux fonds animiste des croyances populaires. Il s'y développe lentement jusqu'au XIIIe siècle. L'arrivée des Thaïs favorise son expansion. Jusqu'à ce temps, les rois du Cambodge étaient brahmanistes. Au XIVe siècle, le bouddhisme devient « religion officielle ». Au XVIIIe siècle apparaît un bouddhisme hérétique. Des clans de bonzes en bandes armées font subir aux religieux rivaux des sévices et des défroques, en les obligeant à de nouvelles ordinations ou en les exécutant. Dans les années 70, avec l'arrivée des Khmers rouges, les bouddhistes vivent une période dramatique. Le pouvoir, jusqu'en 1987, tente par tous les moyens de supprimer l'influence bouddhique. La tendance actuelle va vers un retour du culte. Excuses du gouvernement, en 1989, et rétablissement du bouddhisme comme « religion d'Etat » favorisent une renaissance florissante.

■ Angkor : ce site historique, considéré comme la « huitième merveille du monde », vestige des anciennes capitales royales khmères bâties entre le VIIIe et XIIIe siècle, compte 287 temples. A Angkor, résidence des dieux, bouddhisme et hindouisme coexistent. C'est au centre d'Angkor Thom, au Bayon, que trône Bouddha sous les traits du fondateur de la ville, le roi Jayavarman VII. Dans ce temple bouddhique, du haut des cinquante-quatre tours, deux cents visages de pierre de bodhisattvas sourient en regardant avec compassion les quatre points cardinaux.

Chine

Bouddhisme, taoïsme et confucianisme sont inextricablement mêlés dans la religion populaire chinoise et continuent d'influencer la vie de millions de Chinois. Avec le bouddhisme, la Chine se trouve pour la première fois dans son histoire confrontée à une pensée étrangère à ses traditions.

Sa date d'introduction dans le Céleste Empire demeure incertaine. La légende raconte que Ming-ti, l'empereur des Han, aurait en l'an 65 rêvé du Bouddha. Il aurait décidé alors d'envoyer des émissaires en Inde pour s'enquérir de son enseignement. La Route de la Soie, cette extraordinaire voie commerciale, est aussi le chemin essentiel de la propagation du bouddhisme. C'est sous les Tang (618-907) que le bouddhisme atteint son apogée. Il touche les lettrés comme le peuple, et cela malgré une résistance des érudits confucianistes. Au VIIe siècle, devant la venue d'un autre bouddhisme (le Tantrisme), apparaît l'école de méditation du Tch'an, déviation chinoise du bouddhisme incorporant la mystique taoïste à un confucianisme réformé. La pensée bouddhique rayonne par cette école dans tout l'Extrême-Orient et plus particulièrement en Corée et au Japon, où elle prendra le nom de zen. Les intellectuels qui participent à la première révolution chinoise sont hostiles aux courants spirituels traditionnels. Cependant, en 1931, l'Association bouddhique est reconnue officiellement. Le gouvernement révolutionnaire instaure alors un relatif *modus vivendi* avec le bouddhisme à l'intérieur même de la Chine. Depuis 1953, la Nouvelle Association bouddhique applique des directives dûment orientées. Par son intermédiaire, le pouvoir de Pékin tente de contrôler les populations tibétaines et mongoles, bouddhistes de tradition. La Constitution de 1982 a rétabli en Chine la liberté religieuse et permet un renouveau que seul l'avenir permettra d'estimer.

■ Montagnes sacrées du bouddhisme : avec la naissance de l'école Tch'an, les moines, afin de pratiquer la méditation dans les meilleures conditions, construisent, loin des villes, des monastères et des temples dans des montagnes isolées. Pour se rapprocher de la nature et du silence, ils s'installent sur les monts Wutai, Emei, Jiuhua et Putuo. Un cadre exceptionnel de beauté pour méditer.
Route de la Soie : c'est par la voie de l'Asie centrale que le bouddhisme effectue la conquête pacifique de la Chine. Les premiers missionnaires et traducteurs qui révèlent le Dharma en Chine sont très souvent originaires de ces régions. Plus tard, de pieux Chinois à la recherche de textes sacrés originaux prennent le chemin des marchands vers l'horizon occidental, et des pèlerins affrontent les dangers de la Route.
Des monastères, des peintures murales dans des grottes et des sanctuaires bouddhiques se développent sur les pistes caravanières. Jusqu'à la venue de l'islam, la Route de la Soie sert de véhicule au bouddhisme et à son art dans son extension vers l'Extrême-Orient et les terres hellénisées de l'ouest.

Corée

La péninsule coréenne, « terre des esprits » où le chamanisme perdure aux côtés du confucianisme, accueille le Dharma alors que le pays est divisé en trois royaumes. Les souverains de Koguryo et de Paecke reçoivent favorablement, au IVe siècle, les enseignements bouddhiques venus de Chine. Il faudra attendre l'an 527 pour que la cour de Silla, qui unifie un siècle plus tard la Corée, adopte comme « religion d'Etat » la doctrine de l'Eveillé (elle le restera jusqu'en 1932). Le bouddhisme coréen – mahayaniste, héritier du Tch'an chinois et précurseur du zen japonais – connaît son apogée du VIIe au IXe siècle. Avec l'avènement au XVe siècle de la dynastie néo-confuciasniste des Yi et la corruption de moines, commence une politique antibouddhiste. Sous l'occupation japonaise (1905-1945), règles et décrets dictent l'organisation de la vie monacale et des temples. Apparaît alors un souffle de rénovation. La division du pays en 1948 bouleverse la tradition bouddhique. Au nord, le radicalisme communiste absorbe toute vie spirituelle. Au sud, l'occidentalisation américaine forcée et les décisions politiques autoritaires rendent difficile la pratique de la voie du Dharma. La période actuelle demeure problématique pour les millions de bouddhistes en Corée du Sud, des femmes essentiellement, devant la propagation de l'église protestante (40 % de la population) et d'une multitude de sectes.

■ Séoul : le nom de la capitale de la Corée du Sud vient de la transcription du nom de la ville indienne Sravasti, lieu où le Bouddha séjourna pendant la saison des pluies.

Inde

Bien que le bouddhisme soit profondément enraciné en Inde par la naissance même de Gautama au nord du pays, que son rayonnement du IIIe au VIe siècle par les empereurs Açoka puis Kanichka diffuse le Dharma à travers tout le sous-continent indien jusqu'aux centres de l'hellénisme, que son apogée culmine au Ve siècle, le bouddhisme décline peu à peu en Inde pour ne plus survivre sur sa terre d'origine. L'opposition des brahmanes, qui voient dans la doctrine du Bienheureux un danger de perdre les privilèges des castes, et l'invasion musulmane font disparaître vers la fin du XIIe siècle le bouddhisme. Les persécutions poussent la communauté bouddhique à fuir vers le Cambodge, Ceylan, le Champa (royaume de l'Annam aujourd'hui au Vietnam), le Népal et le Tibet. Le bouddhisme laisse toutefois une forte empreinte dans la culture hindouiste. Aujourd'hui, les bouddhistes indiens sont extrêmement peu nombreux, moins de 1 % de la population.

■ « Le site de Kapilavastu a pu être définitivement identifié grâce à la découverte à Rummindei, près du village népalais de Paderia, à deux milles au nord de Bhagvanpur, d'un pilier inscrit d'Açoka. Rummindei est le nom moderne de Lumbini, le jardin où naquit le Bouddha, aux portes de Kapilavastu. » (René Grousset, *Sur les traces du Bouddha*, réédition à l'Asiathèque, 1991.)

Indonésie

Aucun élément fiable ne permet de dater avec certitude l'arrivée du bouddhisme dans l'archipel. Des traces archéologiques indiquent que la doctrine du Mahayana est pratiquée dès le VIIIe siècle. Avant l'expansion de l'islam (fin XVe-début XVIe siècle), pendant près d'un millénaire, le bouddhisme vit des heures glorieuses, particulièrement à Bali, Java, Kalimantan (Bornéo), Sulawesi (Célèbes) et Sumatra. De nos jours, le Dharma joue un rôle mineur. Seule une petite communauté de bouddhistes, en grande partie des Chinois, vit à Java.

■ Borobudur : au cœur de l'île de Java en Indonésie, Borobudur est le plus grand monument bouddhique du monde. Edifié à partir de la fin du VIIIe siècle, ce site n'est ni un temple, ni un sanctuaire – mais un unique et magnifique mandala de pierre qui garde son mystère, au grand regret des chercheurs. Redécouvert par Sir Stamford Raffles en 1814, cette œuvre architecturale est l'expression symbolique du panthéon bouddhique, de la cosmographie du Mahayana, mais aussi de la vie indo-javanaise. Ses somptueux bas-reliefs content la vie du Bouddha.

Japon

En passant par la Chine et la Corée, le bouddhisme est introduit au Japon vers le milieu du VIe siècle. Il coexiste avec le shintoïsme et le confucianisme. En symbiose, ce triumvirat spirituel influence profondément le quotidien nippon.

La majorité des bouddhistes japonais adoptent le Mahayana. D'abord imposée par le pouvoir, la doctrine de l'Eveillé engendre de nombreuses écoles et sectes. Des luttes armées conduites par des moines guerriers opposent, entre le Xe et le XVIe siècle, des monastères bouddhiques. Le temps des réformes fait apparaître trois courants importants : l'amidisme (culte du Bouddha Amitabha, Amida en japonais), le zen et le bouddhisme du Lotus de la secte Nichiren. Le bouddhisme reste fortement présent dans la société contemporaine japonaise.

■ Todai-ji : fondé par l'empereur Shomu, le temple Todai-ji fut construit au VIIIe siècle pour la paix du pays et la prospérité du peuple. Il devint très rapidement un important centre de recherches pour l'ensemble des sectes du bouddhisme japonais. Dans ce complexe monastique, le sanctuaire principal, le Pavillon du Grand Bouddha (Daibutsu-den), la plus grande structure en bois au monde, abrite une statue gigantesque en bronze doré du Bouddha Vairocana, « celui qui éclaire l'univers de la lumière de sa sagesse et de sa compassion ».

Laos

Le bouddhisme du Hinayana (Petit Véhicule) est pratiqué aujourd'hui dans l'ancien royaume du « Million d'Eléphants ». Florissant au VIe siècle, le bouddhisme laotien remonterait à l'époque du Fou-Nan dès le IIIe siècle. Des inscriptions sur pierre révèlent qu'il est alors mahayaniste. Au

Bodhidharma, fondateur légendaire du zen.

XIXe siècle, avec l'invasion du royaume par les Siamois et les Hô, des moines sont déportés ou tués. En 1947, lors de l'indépendance, le bouddhisme devient « religion officielle ». Dans le monde rural, la doctrine fait bon ménage avec les croyances locales ancestrales. La République démocratique populaire en place depuis 1975 laisse aux moines la liberté de culte tout en leur demandant de ne pas dévier de la ligne politique instaurée par le Parti, ce qui entraîne des milliers de bonzes à se défroquer. Malgré des persécutions, la tolérance laotienne permet une singularité : bouddhisme et marxisme aspirent conjointement au salut d'autrui.

■ Fête du Nouvel An lunaire : il est de coutume d'asperger d'eau parfumée les statues de Bouddha et, à cette occasion, également les passants. Une manière plutôt joyeuse d'accroître ses mérites sur la voie de l'Eveil. Les bonzes aussi n'y échappent pas. Des femmes à leur passage leur arrosent les pieds. Les « Bouddhas de la pluie » sont particulièrement honorés par les Laotiens qui saluent ainsi l'arrivée de la mousson.

Mongolie

Sur les hauts plateaux de l'Asie septentrionale, le bouddhisme est, jusqu'à la prise du pouvoir par les communistes, l'un des piliers de la tradition mongole. Son aspect magique emprunté au chamanisme engendre une foule de divinités bienveillantes ou démoniaques. Son introduction est difficile à dater. Sa pratique massive se généralise dans la seconde moitié du XVIe siècle sous la forme d'un bouddhisme réformé d'origine tibétaine. A la faveur de cette adhésion, les princes mongols et les religieux tibétains renforcent ensemble leur pouvoir. La dictature stalinienne provoque en 1937 une révolte nationale menée

par les moines. La réponse est sanglante : anéantir le bouddhisme en Mongolie.
Avec la chute du mur de Berlin (1989) et l'effondrement de l'ex-empire soviétique, les Mongols abandonnent le communisme. Aujourd'hui, après avoir été éradiqué, le bouddhisme permet de retrouver une identité nationale. Sa renaissance se manifeste désormais en toute liberté.

■ *Dalaï* est un mot mongol qui signifie « océan » (de sagesse). Le titre de dalaï-lama (« Océan de Sagesse ») est donné en 1578 par Altan Khan, le fondateur de Köke-Khota (la « Ville Bleue », aujourd'hui Hohhot, capitale de la Mongolie-Intérieure chinoise), à la troisième réincarnation du supérieur de l'école tibétaine des Guélugpas ou des « Vertueux ».
Zanabazar (1635-1723) : descendant de Gengis Khan, le premier Bouddha vivant en Mongolie – né le vingt-cinquième jour du neuvième mois de l'année du Cochon de bois – est un traducteur de textes bouddhiques mais aussi et surtout un extraordinaire sculpteur. Après un séjour au Tibet pour étudier le bouddhisme, il fonde à son retour plusieurs communautés monastiques. Cette personnalité hors du commun, dont le nom signifie « Foudre de connaissance », est, au XVIIe siècle, l'un des maîtres de l'art bouddhique mongol. Ses statues de bronze doré sont exposées au musée d'Oulan-Bator. Le musée Guimet à Paris a présenté, en 1993, ces trésors exceptionnels. L'actuelle réincarnation, neuvième du nom, vit aujourd'hui à Dharamsala (Inde du Nord), capitale du gouvernement tibétain en exil, non loin de la résidence du dalaï-lama.

Amarbayasgalant : le plus grand sanctuaire bouddhique de Mongolie, construit en 1735 sur ordre d'un empereur chinois, est situé à 380 kilomètres au nord-ouest de la capitale Oulan-Bator. Pillé puis abandonné pendant plus de cinquante ans, il a été restauré et reconsacré en 1993. Dans ce monastère de la « Félicité Tranquille », les moines attendent le retour de leur chef spirituel Zanabazar en choyant son trône couvert de brocart.

Myanmar ou ex-Birmanie

Si le bouddhisme n'est plus « religion d'Etat », il demeure cependant parfaitement intégré à la vie quotidienne. L'introduction du Dharma dans la tradition birmane date du règne de l'empereur Açoka (IIIe siècle av. J.-C.). Dans la capitale Pagan, plusieurs « Yanas » sont pratiqués jusqu'au XIe siècle. Le Theravada à cette époque finalement domine. Sous l'occupation britannique, des moines prennent position pour l'indépendance. Les Birmans tentent alors un « socialisme bouddhiste ». Unique dans les annales, mais vite voué à l'échec. Dans l'Union birmane, régime autoritaire, les religieux bouddhistes sont persécutés lorsque la junte militaire, en 1988, prend le pouvoir. Aujourd'hui, au pays des pagodes dorées, Aung San Suu Kyi, prix Nobel de la Paix en 1991, prône la très bouddhiste renonciation à la violence. Cette femme est d'abord, pour les Birmans, une figure spirituelle. Elle incarne par sa résistance à l'oppression les valeurs bouddhiques.

■ Pagan, la ville aux cinq mille pagodes, est avec Borobudur et Angkor le site archéologique le plus impressionnant d'Asie. Sur les rives du fleuve Irrawaddy, parmi les ruines de cette ancienne capitale birmane, bâtie aux XIe et XIIe siècles, demeurent encore plus de mille cinq cents temples et stupas, dont le remarquable temple Ananda.
La pagode Shwe Dagon, du haut de ses cent dix mètres, domine Rangoon. Des milliers de pierres précieuses et des tonnes d'or couvrent le sommet du grandiose stupa. Cette myriade de bâtiments est le sanctuaire le plus vénéré des bouddhistes dans le Sud-Est asiatique. Toutes les ethnies du pays s'y retrouvent lors de fêtes.

Népal

L'introduction du bouddhisme au Népal (en ces temps, Népala désignait la vallée de Katmandou) est attribué à Açoka et date du IIIe siècle av. J.-C. Du VIIIe au XIIIe siècle, le bouddhisme connaît une époque glorieuse. Depuis, l'hindouisme domine le royaume (89 % de la population). Cependant, bouddhisme et hindouisme se côtoient harmonieusement et même parfois se confondent.

■ Le grand stupa de Swayambunath : ce sanctuaire bouddhique de Katmandou est le plus ancien de la région. Il domine toute la vallée. Ce monument est un haut lieu de pèlerinage.

Sri Lanka

Ce pays a été le premier hors de l'Inde à connaître la Loi du Bouddha. Dès son adoption vers 240 avant J.-C. à Ceylan (aujourd'hui Sri Lanka), le bouddhisme s'implante dans la société cinghalaise et se développe en se transformant progressivement en une organisation d'Etat. La loi bouddhique devient, de l'élite aristocratique au peuple, une référence d'éducation. Au Ier siècle, le Sangha se réunit pour écrire le Canon pali : le Tripitaka ou Triple Corbeille. Au moment où le bouddhisme disparaît peu à peu en Inde, au

Stupa népalais.

début du premier millénaire, l'« île resplendissante » devient le cœur du Theravada. Grand centre de la doctrine des Anciens, Ceylan rayonne sur toute l'Asie du Sud-Est. Des échanges au XIIe siècle se font avec particulièrement les moines birmans et thaïs. Les Théravadins, non touchés par l'hindouisme et épargnés par les conquêtes musulmanes, souffriront, eux, de l'intolérance particulière des Portugais. Des « soldats du Christ » détruiront après le XVe siècle temples et sanctuaires.
Dans ce pays déchiré actuellement par la lutte entre le pouvoir et les Tamouls hindous, le bouddhisme devrait trouver une issue non violente...

■ Kandy : ancienne capitale des rois cinghalais, ce centre bouddhique, le plus important de l'île, abrite dans un temple une relique : la dent du Bouddha.

Thaïlande

L'esprit du Bouddha est omniprésent en Thaïlande. Dans l'ancien royaume du Siam, les Thaïs pratiquent une forme du Theravada adaptée à leur tempérament. Le bouddhisme apparaît dans presque toute la péninsule avec la venue de missionnaires envoyés par l'empereur indien Açoka. Il s'implante durablement comme en témoignent les premières traces d'art bouddhique, du VIe au XIe siècle environ.
Actuellement, le bouddhisme thaïlandais traverse

une crise morale devant l'accumulation de scandales financiers ou de mœurs. Les courants traditionnels sont en déclin alors que des sectes s'engagent dans la voie du « bouddhisme de consommation » en accommodant le Dharma au capitalisme. Cette mouvance fragilise l'unité du bouddhisme thaïlandais et reflète la difficulté de rester dans la « doctrine des Anciens » (Theravada) tout en vivant la modernité. D'autant que le bouddhisme étant une « religion d'Etat », le pouvoir des militaires, qui exalte le nationalisme, pourrait par des dérives dangereuses engendrer un courant fondamentaliste étranger aux principes de l'Eveillé. Toutefois, parmi les 250 000 bonzes vivant dans près de 30 000 temples, un certain nombre se tournent vers le sacrifice de soi, la méditation, le travail social et le respect de la nature, et luttent contre la pauvreté.

■ Ayouthaya : les voyageurs européens du XVIIe siècle (avant le saccage de la ville par les Birmans en 1767) dénombrent à Ayouthaya, baptisée jadis la « Perle de l'Orient », plus de deux mille statues en or du Bouddha. Aujourd'hui, plusieurs centaines d'entre elles gardent le site – un gigantesque amas de ruines de temples et de palais – de l'ancienne capitale du Siam.

Tibet

L'introduction du bouddhisme sur les hauts plateaux himalayens (altitude moyenne : 4 000 mètres) date du VIIe siècle. En ce temps-là, le monarque tibétain Songtsen Gampo (617-649) se marie avec une princesse népalaise et une princesse chinoise, toutes deux ferventes bouddhistes. Suite à ces unions, il fait construire à Lhassa le premier temple bouddhiste érigé au Tibet, le Jokhang, la « Demeure du Maître », puis un second pour accueillir le Jowo (« Œuvre précieuse »), une grande statue du Bouddha apportée de Chine. Il promulgue en loi les préceptes du Bouddha. A sa mort, des opposants fidèles à la religion Bön (croyance au culte des démons, des forces de la nature et des pouvoirs de la magie) empêchent la propagation de la doctrine. Le bouddhisme se répand véritablement au VIIIe siècle avec Padmasambhava, « Né du Lotus », maître des Tantras venu de l'Inde. Les Tibétains et les autres habitants de l'Himalaya (Bhoutan, Ladakh, Sikkim, Mustang) le nomment plus communément Guru Rimpotché, le « Précieux Maître ». Le bouddhisme devient « religion d'Etat » en 779. Depuis, les lamas n'ont cessé de poursuivre l'approfondissement spirituel.

Dans les années 1950, l'invasion chinoise bouleverse les traditions bouddhiques du Tibet. Occupation militaire, révolution culturelle, discours matérialistes n'épargneront pas le Toit du monde. Les bouddhistes sont contraints au silence ou à subir les pires sévices. Aujourd'hui, la politique actuelle chinoise de « libéralisation religieuse » n'est qu'une apparence. La reconstruction de certains monastères est pour les autorités un moyen d'attirer les touristes. Une dizaine de moines seulement ont la permission chaque année d'entrer dans les ordres. Mais l'étude approfondie du bouddhisme demeure interdite. Les mandarins rouges de Pékin, convertis à la religion de l'argent, poursuivent leur campagne de discrimination envers le dalaï-lama et – paradoxe suprême – contestent les réincarnations de grands maîtres reconnues par les autorités religieuses tibétaines en exil, pour imposer leur propre choix... toujours politique.

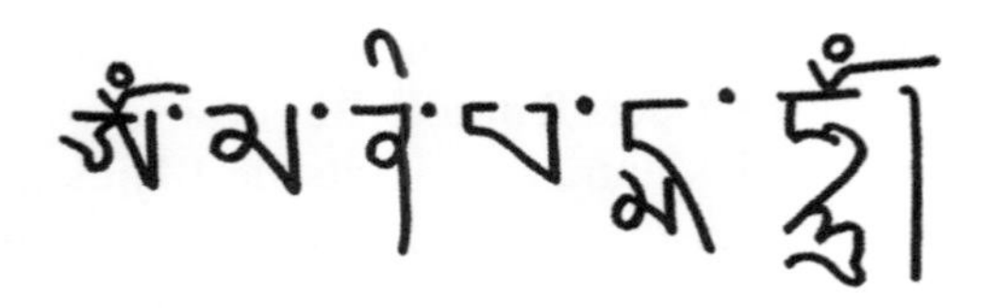

■ *Om ma ni pad me hum*
Le Grand Mantra de Tchènrézi, constitué de six syllabes incantatoires, symbolise la connaissance libératrice. Formule des plus célèbres dans l'Himalaya. Sa traduction : « O Toi le Joyau dans la Fleur de Lotus ».

Vietnam

Bien que bouddhistes, la plupart des Vietnamiens empruntent des éléments à d'autres croyances (taoïsme, confucianisme et animisme). Le

Lama tibétain.

Mahayana (« Bac Tong ») prédomine au Vietnam. Il arrive par le nord au IIe siècle dans le delta du fleuve Rouge, avec des moines chinois itinérants. Au sud du pays, dans la région du delta du Mékong, des pèlerins venus de l'Inde introduisent le Hinayana, que les Vietnamiens d'origine khmère pratiquent toujours aujourd'hui. Il faut plusieurs siècles pour que le bouddhisme connaisse son apogée. Le véritable

305 MILLIONS DE BOUDDHISTES EN ASIE

Les statistiques sont un exercice périlleux. D'une source à l'autre, les chiffres donnés varient considérablement. Il faut savoir qu'en Extrême-Orient, une personne peut être à la fois bouddhiste, confucianiste, taoïste, shintoïste (Japon) ou animiste. Ni justes, ni exactes, il faut les prendre seulement comme des estimations. Aucun registre ne répertorie par un quelconque acte les bouddhistes.

Pourcentage pays par pays :

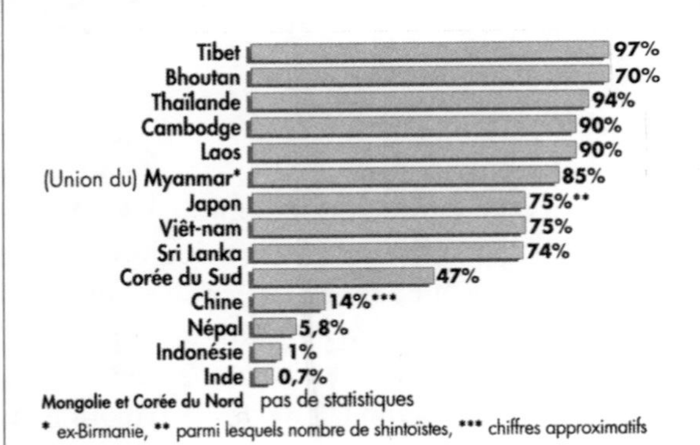

développement du bouddhisme commence sous la dynastie des Ly (1010-1225). Rois et princes font construire de nombreuses pagodes et patronnent la diffusion des livres sacrés. Le bouddhisme devient alors « religion d'Etat ». Les bonzes constituant l'élite cultivée conseillent les souverains. Mais la seconde invasion chinoise, au début du XVe siècle, au nord du pays impose le confucianisme. Le bouddhisme retrouve sa place grâce aux seigneurs du Sud, les Nguyen (1558-1778), qui s'appuient pour gouverner sur le clergé bouddhiste. La doctrine du Bouddha, fortement implantée dans le milieu rural, perd son essence philosophique au profit d'un syncrétisme (combinaison de plusieurs systèmes de pensée) mêlant les divinités locales animistes (croyance attribuant une âme aux choses) aux rites taoïstes. A partir des années 1920, le renouveau du bouddhisme souffle sur cette terre colonisée par la France. Après la partition du Vietnam, par une résistance non violente, les moines luttent contre le régime de Saigon soutenu par les Américains dans les années 60. Ils s'opposent à la guerre et déstabilisent le gouvernement de Ngo Dinh Diem. D'abord au nord, puis au sud à partir de 1975, le pouvoir communiste arrête et persécute les religieux, ferme les temples et interdit la formation de novices. Depuis l'ouverture économique de Hanoi, la communauté bouddhique – il n'existe pas de clergé structuré, à l'exception peut-être de l'Eglise bouddhique unifiée (EBU) – vit une relative liberté, malgré les interpellations de bouddhistes dissidents mis en prison ou en résidence surveillée pour « troubles à l'ordre public ». Toutefois, le régime vietnamien laisse entrevoir davantage de tolérance envers les bouddhistes qui représentent les trois quarts de la population.

■ Le bouddhisme Hoa Hao : cette forme populaire, apparue dans le delta du Mékong en 1939, repose sur la foi personnelle plutôt que sur des rituels ancestraux. Son fondateur, Huynh Phu, est interné dans un asile un an plus tard par les Français, qui le surnomment le « bonze fou ». La secte aurait aujourd'hui un million et demi de fidèles.

Le bouddhisme en France

600 000, 500 000, 400 000 ? Combien de bouddhistes pratiquent le Dharma dans le pays de Descartes ? Aucune estimation sérieuse pour l'instant ne peut vérifier ces chiffres. Une seule certitude : la majorité (plus des deux tiers environ) est originaire de pays bouddhistes d'Asie – essentiellement des réfugiés du Vietnam, du Laos, du Cambodge et du Sri Lanka – mais aussi de Chine.
De plus en plus de Français suivent les enseignements de maîtres des écoles zen et tibétaines. Ils seraient 150 000. Dès le début des années 70, le

bouddhisme zen connaît un engouement. L'arrivée en 1967 du maître japonais Taisen Deshimaru révèle en France, à travers la technique *zazen* – méditation assise –, les fondements du bouddhisme.
Le bouddhisme tibétain compte actuellement, avec ses diverses écoles (Guélugpa, Kagyupa, Nyingmapa et Sakyapa), le plus grand nombre d'adeptes non asiatiques. A la suite de l'invasion chinoise brutale et sanglante du Tibet, les rimpotchés (maîtres), lamas et moines se réfugient en Inde et certains, venant en France, éclairent la pensée occidentale de leur sagesse bouddhique. Leur joie de vivre, malgré les souffrances de l'exil, et l'absence de dogmatisme favorisent l'expansion dans l'hexagone de ce courant. La figure emblématique du chef spirituel tibétain, le dalaï-lama, contribue par sa force généreuse à l'élan de sympathie.

■ Une quarantaine de pagodes vietnamiennes, cambodgiennes et laotiennes, pour la plupart dans la région parisienne, transmettent les enseignements traditionnels bouddhiques et jouent aussi un rôle social d'entraide communautaire.
Centres de tradition zen : une centaine de dojos sont répertoriés. Dans ce chiffre ne sont pas comptés les lieux de méditation ouverts par des maîtres japonais de passage en France.
Près de quatre-vingts centres de tradition tibétaine en seulement vingt ans sont apparus en France. Dans les grands centres communautaires, des stages, des retraites, des enseignements sont proposés par des

lamas. Dans les plus petits, généralement en ville, sont dispensés des enseignements et des séances de méditation.
Qui est bouddhiste ? : Il faut bien distinguer les curieux des sympathisants, de ceux qui se réclament du bouddhisme et des authentiques pratiquants. Il n'y a pas de registre bouddhique. Toutefois une étude sérieuse sur ce sujet du sociologue et écrivain Frédéric Lenoir, spécialiste du bouddhisme en Occident, est en cours.

Guide pratique

La sagesse est une source vivante, et non une icône à conserver dans un musée.

Thich Nhat Hanh.

Vimalakirti. Le *Vimalakirti nirdesa* (« L'Enseignement de Vimalakirti ») est un des textes majeurs du Mahayana.

Guide pratique

Pour comprendre le message bouddhique, il y a l'enseignement originel. Un authentique mode d'emploi qui explique comment se libérer de la douleur. Les textes les plus anciens postérieurs au Bouddha – seules traces disponibles – mettent en lumière les moyens d'accéder aux chemins de l'Eveil. Pour les plus fervents, la vie monacale est, aujourd'hui comme il y a vingt-cinq siècles, l'expérience la plus aboutie. D'autres voies plus abordables favorisent la découverte de ce message. Au premier rang, l'extraordinaire diversité de l'art bouddhique qui contribue au rayonnement de la doctrine. Mais aussi une quantité de sites qu'il est possible de visiter, de centres, d'organismes, d'ouvrages et de services qui indiquent comment aller sur les traces du Bouddha.

En savoir plus

Sources de l'enseignement

Le Bouddha n'a rien écrit. Il prêchait. Sa doctrine fut transmise oralement de son vivant et des siècles durant. Les textes énonçant son enseignement furent fixés par écrit seulement au Ier siècle de notre ère par les moines de Ceylan (Sri

Lanka) dans ce qui est nommé le Canon pali ; il s'agit de trois recueils désignés sous le nom de « Triple Corbeille » : le *Sutta Pitaka* contenant les enseignements du Bouddha, le *Vinaya Pitaka*, les règles de la discipline monastique, et l'*Abhidhamma Pitaka*, des commentaires.

La traduction tibétaine des écrits bouddhiques sanskrits (langue classique de l'Inde) fut exécutée bien plus tard (à partir du VIIIe siècle), avec une telle exactitude et une telle fidélité qu'aujourd'hui encore elle est considéré comme la référence du Grand Véhicule (Mahayana). Les œuvres originales en sanskrit ont disparu en partie au moment de la conquête musulmane de l'Inde du Nord, au XIIe siècle.

Les éléments biographiques consignés dans les textes sacrés appelés « sutras » s'attachent plus à représenter dans la légende un modèle d'accomplissement qu'à vouloir décrire dans le détail historique les faits et gestes du Bouddha Sakyamuni.

■ Le Canon bouddhique tibétain se compose de deux séries de textes : *Kanjur* (« Paroles du Bouddha en traduction ») et *Tanjur* (« Traités en traduction »), qui comprennent des commentaires, des études de religieux et des poèmes sacrés. Il a fallu environ six cents ans aux Tibétains pour réaliser cet énorme travail de traduction.

Vie monacale

Pour pénétrer la profondeur de l'enseignement du Bouddha, des années et des années sont nécessaires, pour ne pas dire des vies et des vies. Cœur du bouddhisme, la vie monacale est fondée sur la discipline et l'organisation édictées en un code. L'ordre des moines et des moniales, pilier du Sangha, suit les paroles du Bouddha : « Moines, le but ultime de cette conduite pure est la libération inébranlable de la pensée. C'est l'essence. C'est la fin. »

■ Ethique : sont établies depuis l'origine des règles très précises destinées à réduire le feu des désirs et des illusions des moines et moniales.
La discipline monastique interdit le meurtre, le vol, le mensonge, l'alcool, l'impureté, l'usage de l'or et de l'argent, de parfums et d'onguents, d'un lit spacieux.

Art bouddhique

Très tôt, le bouddhisme a recours aux images pour illustrer la doctrine et la vie légendaire du Maître. L'art bouddhique remplit une fonction de transmission, d'inspiration, de soutien à la mémorisation des vérités éternelles. Un art protéiforme aux expressions profondément humaines et populaires. Les artistes établissent des règles esthétiques très codifiées, à la fois pour exprimer la sérénité et la bonté du fondateur de la doctrine, mais aussi pour révéler les enseignements.

LA GESTUELLE

Quatre postures : debout exprime la souveraineté suprême ; assis à l'européenne représente l'attitude royale ; assis en tailleur évoque la concentration ; couché symbolise la Grande Extinction.

Quelques gestes des mains

Don

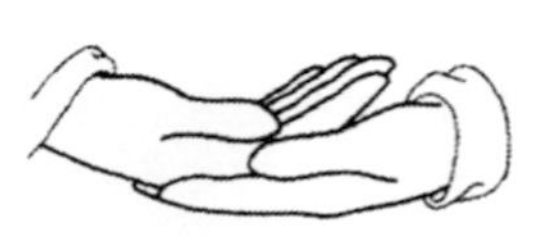

Méditation

Prédication

Argumentation

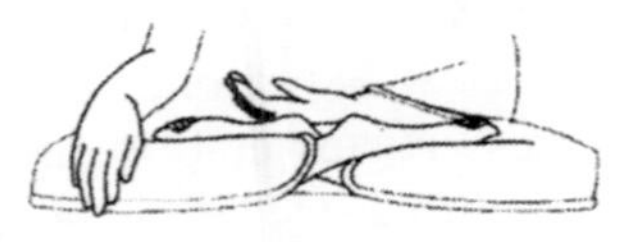

Prise de la terre à témoin

Les représentations des Bouddhas répondent à des règles précises. Traits physiques, attitudes, gestes sont codifiés. Les caractéristiques physiques du Bouddha témoignent de sa prédestination à devenir un être d'exception. Aujourd'hui encore, la recherche de ces marques (*lakshana*) guide le choix du futur dalaï-lama.
Cette tête de Bouddha appartient à la tradition Gupta (Inde, Vᵉ siècle). La protubérance crânienne est un trait distinctif des Bouddhas. Les boucles des cheveux s'enroulent vers la droite (signe faste). L'allongement du lobe des oreilles symbolise la sagesse. L'expression du visage est sereine, tournée vers la vie intérieure.

De nombreuses écoles artistiques se développent, chacune produisant des iconographies spécifiques avec des types bien caractérisés. La culture tibétaine a développé l'une des formes artistiques les plus abondantes et les plus complexes.

Bien que le Bouddha ait rejeté le culte des images et la possession de biens matériels, l'ensemble artistique bouddhique constitue indéniablement l'une des principales et fabuleuses richesses du patrimoine mondial.

■ Si le Musée national des arts asiatiques Guimet est fermé jusqu'au début de l'an 2000 pour une rénovation complète – les futures présentations n'oublieront pas d'éclairer les richesses de l'art bouddhique –, son annexe expose le panthéon bouddhique japonais d'Emile Guimet. Trois cents œuvres capitales dont une trentaine de pièces chinoises. Un sanctuaire d'êtres vénérés...

Galeries du panthéon bouddhique du Japon et de la Chine, Hôtel Heidelbach-Guimet : 19, avenue d'Iéna, 75116 Paris, tél. 01 47 23 61 65. Fermé le mardi.

Y aller

De nombreux organismes et agences proposent des voyages dans les plus grands sites bouddhiques.

AFAO, l'Association française des amis de l'Orient, invite ses adhérents à découvrir les hauts lieux de l'Asie, accompagnés des meilleurs conférenciers.

19, avenue d'Iéna, 75116 Paris, tél. 01 47 23 64 85.
Allibert, spécialiste des randonnées, organise des expéditions sur le Toit du monde. Route de Grenoble, 38530 Chapareillan, tél. 04 76 45 22 26 ou 14, rue de l'Asile-Popincourt, 75011 Paris, tél. 01 40 21 16 21.
Asia conçoit des séjours selon les demandes. Un voyagiste généraliste pour toutes les destinations du continent extrême. Bureaux à Paris, Marseille et Nice, catalogue dans toutes les agences. Renseignements : 3615 ASIA.
Assinter offre des circuits culturels élaborés, en particulier dans les régions himalayennes. 38, rue Madame, 75006 Paris, tél. 01 45 44 45 87.
Orients sur les Routes de la Soie convie, comme son nom l'indique, à découvrir les itinéraires jadis suivis par les caravanes et les pèlerins. 29, rue des Boulangers, 75005 Paris, tél. 01 40 51 10 40.

Associations

Fédération du bouddhisme tibétain : la plupart des centres bouddhiques tibétains appartiennent à cette fédération. Elle conseille, aide et surtout organise les visites des grands maîtres.
40, route de ceinture du Lac-Daumesnil, 75012 Paris.
Institut international bouddhique (pagode du Bois de Vincennes qui, selon les fêtes et cérémonies, est occupée par les différentes communautés bouddhistes). 40, route de ceinture du Lac-Daumesnil, 75012 Paris, tél. 01 43 41 54 48.
Association bouddhique khmère (temple cambodgien). Vat Khemararam, 16, rue Saint-Simon, 94000 Créteil, tél. 01 42 07 85 60.

Association culturelle bouddhique Linh Son (pagode vietnamienne). 9, avenue Jean-Jaurès, 93340 Joinville-le-Pont, tél. 01 43 97 04 37.
Association zen international (école Soto poursuivant l'œuvre du maître japonais Taisen Deshimaru). 175, rue de Tolbiac, 75013 Paris, tél. 01 53 80 19 19 et près de Blois, à la Gendronnière, Valaire, 41120 Les Montils, tél. 02 54 44 04 86.
Centre bouddhique international (Sri Lanka). 7, cité Firmin-Bourgeois, 93500 Le Bourget, tél. 01 48 35 10 71.
Centre d'études tibétaines de Montchardon (école Kagyupa). 38160 Izeron, tél. 04 76 38 33 13.
Kagyu Dzong (école tibétaine dans l'enceinte de la pagode du bois Vincennes). 40, route de ceinture du Lac-Daumesnil, 75012 Paris, tél. 01 40 04 98 06.
Vat Sissatanah (pagode laotienne). 99, avenue du Général-de-Gaulle, 95320 Saint-Leu-la-Forêt.

■ *Sangha magazine* (deux numéros par an) et *Sangha journal* (cinq numéros par an) informent de toutes les actualités des différentes écoles bouddhistes présentes en France et en Europe. Ces publications approfondissent par des articles thématiques les différentes voies de la sagesse. Avec en plus des informations pratiques et un calendrier événementiel. L'association éditrice, le Bouddhisme pour la paix (BPLP), a organisé, en juin 1994, le premier festival international bouddhique de France à Paris.
Association BPLP c/o Lopez-Truillet, 18, avenue Alphand, 94160 Saint-Mandé, tél. 01 43 74 34 67.

Bouddha en méditation.

S'INFORMER

Sur minitel

3615 code EURASIE

Dans ce carnet de plus de mille adresses, destiné aux passionnés de l'Asie, de nombreuses coordonnées pour connaître les organismes, librairies, bibliothèques, musées et agences de voyages. Mais surtout un chapitre « bibliographie » qui donne la liste des ouvrages ayant pour sujet le bouddhisme, le dalaï-lama, les enseignements zen et tibétain, et un chapitre « religion » qui communique des adresses de pagodes, dojos et temples.

3615 code TIBET INFO

Une mine d'informations pour tout savoir sur le bouddhisme tibétain : adresses utiles, conférences et manifestations, dossiers, dernières nouvelles, bibliographie, lexique et envoi de messages. Un service pratique et fiable.

Sur Internet

De nombreux sites sont consacrés au bouddhisme. Une connaissance du fonctionnement d'Internet et de l'anglais est indispensable. La plupart des écoles bouddhiques et des universités qui étudient ce domaine proposent un service sur ce réseau.

Quelques entrées possibles :
Pour contacter le bureau du dalaï-lama :
e-mail : tcrc @ unv.ernet.in
Pour connaître les dernières nouvelles de TIBET INFO :
http://eurasie.comfm.fr/tibet/index.html
Pour connaître les adresses liées au bouddhisme sur Internet :
http://coombs.anu.edu.au/www.vl.buddhism.html
Pour découvrir le *Journal of Buddhist Ethics* et des liens avec d'autres sites :
http://www.psu.edu/jbe/resource.html
Pour suivre l'actualité bouddhique et asiatique sur le magazine électronique *Eurasie* :
http://eurasie.comfm.fr/
(Sources : *Guide du Tibet en France et en Europe*, éditions Claire Lumière.)

Bibliographie

Les éditeurs s'intéressent de plus en plus au domaine bouddhique. Plus de mille titres sont disponibles ! Dans cette profusion aux bonheurs variés, voici une sélection écartant les ouvrages trop ésotériques, les œuvres épuisées et bien évidemment les livres les moins sérieux. Toutefois ce choix n'est pas exhaustif.

Ouvrages généraux

Bouddha en son temps, de Louis Frédéric, éditions du Félin, 1994. Biographie d'un homme exceptionnel que certains ont transformé en Dieu, rédigé par un spécialiste de l'Asie.

Comprendre le bouddhisme, de Dennis Gira, éditions du Centurion, 1989. Introduction à la tradition bouddhique écrite par un professeur de l'Institut catholique qui fait autorité tant chez les bouddhistes que chez les chrétiens. Un livre sérieux et facile pour les personnes qui n'ont jamais abordé la doctrine.

La Vie du Bouddha, d'Alfred Foucher, Maisonneuve, réédition, 1987. D'après les textes et les monuments de l'Inde. Une esquisse selon l'auteur d'une image aussi approchée que possible de la personne du Bouddha. Ouvrage majeur pour des lecteurs avertis.

Le Bonheur-liberté, bouddhisme profond et modernité, de Serge-Christophe Kolm, collection « Libre Echange », éditions PUF, 1982. Une thèse aussi volumineuse que pertinente d'un polytechnicien, professeur d'économie à Harvard et Stanford. Une formidable démonstration qui tend à mettre en résonance un enseignement « profond » et les crises intellectuelles des sociétés individualistes, dites « développées ». Une analyse, aux questions cruciales brillamment traitées, dénonçant les erreurs du monde moderne. Néophytes s'abstenir.

Le Bouddhisme, d'Edward Conze, Payot, 1994. Un exposé complet d'un universitaire britannique, spécialiste incontesté du sujet. Réédition d'un texte clair et érudit de 1951.

Le Bouddhisme, de Joseph Masson, Desclée de Brouwer, 1975. Après des séjours en Inde, au Sri Lanka et au Japon, ce jésuite s'attache aux problèmes centraux évoqués dans cette recherche spirituelle.

Le Bouddhisme du Bouddha, d'Alexandra David-Neel, éditions du Rocher, 1994. Une synthèse de la compréhension bouddhique dans le monde occidental, écrite en 1911. Nouvelle édition revue et augmentée de l'ouvrage *Le Bouddhisme, ses doctrines, ses méthodes.*

Les Pèlerins bouddhistes, d'André Lévy, J.-C. Lattès, 1995. Présenté par un sinologue, ce recueil de textes spirituels, poétiques et d'aventures traverse l'épopée de moines qui entreprirent une quête périlleuse depuis la Chine vers les terres du Bouddha.

Présence du Bouddhisme, de René de Berval, Bibliothèque illustrée des histoires, Gallimard, 1987. Cet ouvrage collectif est l'édition nouvelle d'une somme publiée en 1959 à Saigon dans la revue *France-Asie.* Une équipe des meilleurs spécialistes a collaboré à ce « joyau » du genre. Remis à jour, ce précieux corpus présente en dernière partie l'expansion du bouddhisme en Asie – pays par pays –, ainsi qu'une biographie unique de plus de mille quatre cents titres. Un classique du genre.

Sermons du Bouddha, de Môhan Wijayaratna, éditions du Cerf, 1988. Une des rares traductions en

français d'une partie des textes canoniques palis (vingt-cinq sermons).
Bouddhisme, philosophies et religions, de Bernard Faure, Flammarion, 1998. En historien des religions, l'auteur, grand connaisseur du monde japonais, présente les composantes plurielles du bouddhisme en examinant, sous leurs aspects philosophiques et religieux, les rapports entre la rationalité occidentale et la pensée bouddhique.
Le Culte du néant, de Roger-Pol Droit, Seuil, 1997. Cet essai analyse la vision erronée des philosophes allemands et français du XIXe siècle considérant l'enseignement de l'Eveillé dans un contresens absolu. L'auteur, chercheur au CNRS, écrit ici une page oubliée de la récente découverte par l'Occident du bouddhisme.
Les Voies de la sagesse, Bouddhisme et religions d'Asie, de Christine Kontler, Philippe Picquier, 1996. Du monde indien à l'Extrême-Orient, cette présentation des courants religieux et des traditions de sagesse asiatiques met en évidence le rayonnement du bouddhisme dans son essence et ses développements.

Arts bouddhiques

L'Art bouddhique, de Robert Fisher, Thames & Hudson, 1995. Panorama artistique du vaste continent asiatique. De Lhassa à Borobudur, d'Angkor à Kyoto, cet ouvrage évoque l'expérience partagée de la doctrine de l'Eveillé par l'ensemble des artistes d'Asie.
L'Art de l'Asie du Sud-Est, de Philip Raison, Thames & Hudson, 1995. Visites des temples, pagodes et sanctuaires de Birmanie, du Cambodge, d'Indonésie, du Laos, de Thaïlande et du Vietnam. Une mise en lumière de l'influence culturelle et philosophique de l'Inde sur une région mosaïque.

Sérinde, terre de Bouddha. Dix siècles d'art sur la Route de la Soie, de Jacques Giès et Monique Cohen, Réunion des musées nationaux, 1995. Catalogue de l'exposition présentée au Grand Palais (hiver 1995), rédigé sous la direction des commissaires et de spécialistes. Des notices scientifiques des plus brillantes accompagnent une riche iconographie. Un voyage à travers le temps et l'espace pour admirer et comprendre l'expansion en Asie centrale de l'art bouddhique et de ses différentes formes. Des trésors illustrant la doctrine, de sa terre d'origine aux contrées lointaines de l'Empire du Milieu.
Vers l'art sacré du Tibet, de Nathalie Gyatso, éditions Claire Lumière, 1994. Regard d'une plasticienne sur la peinture tibétaine, les origines et les techniques de cet art qui représente les divinités du panthéon bouddhique tibétain. Pour découvrir l'art des thangkas.

Bouddhisme tibétain

Bouddhisme vivant. Bouddhisme profond. Bouddhisme ésotérique, de Kalou Rimpotché, éditions Claire Lumière, 1993. Trois volumes donnant une vision complète et précise de l'enseignement vivant d'un des grands maîtres du bouddhisme tibétain. Un triptyque à lire dans l'ordre.
Histoire des dalaï-lamas, quatorze reflets sur le Lac des Visions, de Roland Barraux, Albin Michel, 1993. Description religieuse et politique du pouvoir au Tibet, fondé sur la tradition bouddhique. L'exploration d'une histoire tumultueuse des origines à nos jours.
Né au Tibet. Méditation et action. Pratique de la voie tibétaine. Shambhala, de Chögyam Trungpa, Seuil, 1991, 1981, 1976, 1990. Ces ouvrages, souvent nés d'une série de causeries dans un langage direct, à l'exception du premier qui raconte le parcours du maître

Le stupa (ou *chorten* en tibétain) est un monument typique du bouddhisme, présent dans toutes les contrées d'Asie. D'abord funéraire, dans la tradition indienne, il servait à conserver les reliques des Bouddhas et des maîtres spirituels.
Le stupa symbolise l'univers ainsi que les principaux éléments de la Doctrine. Il représente tout d'abord les Trois Joyaux. La base carrée est le Sangha (la communauté) ; au-dessus, la partie cubique est le Dharma (la loi) ; au sommet, le Bouddha Gautama.

En haut à gauche, chorten tibétain portant des drapeaux de prière. On dit qu'à chaque drapeau qui claque au vent, s'envole une prière.
En bas à gauche, stupa de Birmanie.
Ci-dessous, stupa du Sri Lanka.

de son enfance à l'exil, lèvent le voile sur la psychologie bouddhiste fondamentale.
Tibet, art et méditation, de Gilles Béguin, éditions Findakly, 1991. Ce catalogue est une invitation au voyage au pays des neiges et des grands maîtres spirituels tibétains. Une initiation esthétique à la représentation des différentes écoles tibétaines.
Le Guide du bouddhisme tibétain, de Philippe Cornu, Livre de Poche, 1998. Une sélection de près de cinq cents centres du bouddhisme tibétain à travers le monde, dont plus d'une centaine en France. Cet ouvrage comprend, à côté d'informations pratiques, la biographie des lamas qui assurent la direction spirituelle des principaux lieux de retraite et de méditation.
Le Lama venu du Tibet, de Dagpo Rimpotché, Grasset, 1998. Cette autobiographie d'un des grands maîtres du bouddhisme tibétain, installé en France dans les années 60, brosse la vie d'un homme d'exception, synonyme d'une stupéfiante aventure spirituelle.

Bouddhisme en Mongolie

Trésors de Mongolie, XVIIe-XIXe siècle, de Gilles Béguin et Dorjiin Dashbaldan, Réunion des musées nationaux, 1993. Catalogue de l'exposition présentée au musée national des Arts asiatiques Guimet à Paris en novembre 1993, sous la direction des commissaires de cette manifestation. Un commentaire détaillé et richement illustré sur Zanabazar, la Mongolie, son histoire et l'architecture religieuse.

Bouddhisme Zen

Bouddhisme Zen et psychanalyse, de Daisetz Teitaro Suzuki, Erich Fromm et Richard de Martino, collection « Quadrige », PUF, 1971. Essai comparant les

approches psychologiques sur l'inconscient et le Soi dans deux systèmes éloignés et pourtant proches pour combattre la douleur.
Esprit zen, esprit neuf, de Shunryu Suzuki, Seuil, 1977. Né d'entretiens avec un groupe de pratiquants occidentaux, ce livre d'un maître japonais de la lignée Zen Soto puise dans le quotidien pour dévoiler au débutant une pratique, une attitude et une compréhension justes.
Essais sur le bouddhisme Zen, de Daisetz Teitaro Suzuki, Albin Michel, 1972. Ces trois volumineux tomes ont fait entrer dans les années 40 le zen en Occident. Cet ouvrage impressionnant, austère et fort ardu, sonde hors des concepts intellectuels la voie qui mène à la liberté de l'être. Pour lecteurs avertis exclusivement.
Zen et Occident, spiritualités vivantes, de Jacques Brosse, Albin Michel, 1992. Le disciple de Taisen Deshimaru présente, après une longue expérience personnelle de pratiques et de méditation, le mode de pensée du zen, ses origines et son rôle possible dans la société occidentale.

Filmographie

Kundun (1998) de Martin Scorsese. L'enfance et les années d'initiation du XIVe dalaï-lama dans une fresque, une épopée plus évocatrice qu'historique. Une parabole allusive, véritable métaphore de la réincarnation, sur le guide spirituel et temporel du Tibet.
Little Buddha (1993) de Bernardo Bertolucci. Des moines tibétains à la recherche de la réincarnation de leur maître disparu voient dans la tête blonde d'un petit Américain le retour de leurs plus éminents chefs

CLAIRE LUMIÈRE

Cette maison d'édition publie et diffuse des ouvrages concernant la spiritualité bouddhique, plus particulièrement dans son courant tibétain. Elle met l'accent sur une approche vivante et directe. Elle propose aujourd'hui une trentaine de titres dont les enseignements de Bokar Rimpotché et de Kalou Rimpotché.
Deux ouvrages précieux :
Guide du Tibet en France et en Europe. Cette édition livre toutes les adresses pour découvrir et approfondir la culture et le bouddhisme tibétains. Centres bouddhistes (région par région en France), associations, agences de voyages, revues, bibliothèques, médecine, sites Internet, arts et boutiques sont répertoriés.
Petit lexique du bouddhisme tibétain. Plus de 350 termes sont dans cet ouvrage expliqués ou définis. Une source de repères et de réponses qui donne un éclaircissement à ce vocabulaire très souvent confus pour le public occidental.
Editions Claire Lumière : Mas Vinsargues, 13116 Vernègues.

DEWATSHANG

A Paris, la boutique tibétaine du Marais est la seule maison d'édition tibétaine de langue française. Dewatshang (« Maison du bonheur ») a publié deux ouvrages du dalaï-lama : *Vivre la méditation au quotidien* et *Epanouir l'esprit et ouvrir son cœur à la bonté*. Des conseils pratiques qui peuvent être mis à profit dans la vie de tous les jours.
Editions Dewatshang : 15-17, rue de Turenne, 75004 Paris, tél. 01 42 78 05 04.

spirituels. Un périple qui initie peu à peu au bouddhisme et qui conte sous l'apparence d'une fable imagée l'histoire de Siddharta Gautama.
Plus haut encore plus haut (*Aje aje para aje*, 1989, Corée) de Im Kwont'aek. Deux jeunes bonzesses aux parcours différents découvrent qu'il y a plusieurs voies pour accéder à la vérité. Une interrogation sur la loi du Karma.
Pourquoi Bodhi-Dharma est-il parti vers l'Orient ? (*Talmaga tongtchoguro kan kkadalgun ?*, 1989, Corée) de Pae Yonggyun. Vies et réflexions dans un temple où un vieux moine se rapproche du Nirvana et un moinillon regrette sa mère disparue.
Mandala (*Mandara*, 1983, Corée) de Im Kwont'aek. Un moine sceptique rêve d'une femme qu'il a aimée. La doctrine du Bouddha lui paraît inaccessible. Commence une vie d'errance avec un autre moine dépravé. Critique des milieux bouddhistes.
Siddartha (1973) de Conrad Rooks, d'après le roman d'Hermann Hesse. L'histoire initiatique d'un homme qui s'interroge sur l'existence et qui, au gré de sa quête, rencontre le Bouddha et sa doctrine. Malgré cela, il commence une autre vie...
Horizons perdus (*Lost horizon*, 1937) de Frank Capra. Un avion est contraint d'atterrir au milieu des pics enneigés de l'Himalaya. Les voyageurs arrivent dans une lamaserie située à Shangri-La, paradis perdu hors du temps où chacun est à la recherche de la sagesse éternelle.
Lumière d'Asie (*Prem Sanyas* ou *Die Leuchte Asiens*, 1925, Inde-Autriche) de Franz Osten et Himansu Rai. Ce premier film indien muet, distribué à l'étranger, est adapté du poème d'Erwin Amold. Il raconte l'enfance dans le palais paternel puis la renonciation du Bouddha.

Moinillons, Népal.

CD-ROM

Sérinde, oasis perdues des Routes de la Soie (Serge Viallet, production Unesco et RMN). Dans la collection culturelle « A la rencontre des civilisations », ce CD-ROM explore historiquement, géographiquement et artistiquement les vastes terres allant de l'Inde à la Chine. Voyage au cœur de la transmission du bouddhisme.

L'Unesco, dans la même collection, a édité un second CD-ROM ayant pour sujet la cité d'Angkor.

Glossaire

Meilleur que mille mots sans utilité est un seul mot bénéfique, qui pacifie celui qui l'entend.

Le Bouddha, *Dhammapada.*

Adibuddha. Terme désignant dans le Vajrayana une entité abstraite, un Bouddha suprême ayant engendré l'univers.

Amidisme. Le culte du Bouddha Amida (nom japonais du Bouddha Amitabha), né dans le Nord-Ouest de l'Inde, se développe en Chine au IIe siècle avant de se répandre et de connaître au Japon, à partir du Xe siècle, une populaire prospérité. L'amidisme rassemble un grand nombre de fidèles dans l'archipel nippon. L'accent étant mis sur la foi, l'amidisme est considéré par certains comme une déviation théiste.

Arhat ou Arhant. Celui qui réalise pleinement le fruit de la doctrine bouddhique.

Bhikkhu. Mot pali désignant un moine, un bonze bouddhiste.

Bodhi. Illumination intellectuelle, connaissance parfaite de la vérité. Etat conduisant au non-désir permettant d'échapper au Samsara et d'accéder au Nirvana.

Bodhidharma. Moine fondateur du bouddhisme chinois en 520. Principal théoricien de l'école de méditation du Mahayana.

Bodhisattva. « Etre d'Eveil », de pure compassion, qui a la possibilité spirituelle d'obtenir l'état de Bouddha mais qui se réincarne pour aider les êtres à sortir de la Roue de la Réincarnation.

Bouddha. Cette épithète désigne soit une personne : Siddharta Gautama, le fondateur historique du bouddhisme ; soit un état de conscience, d'illumination produit par l'ouverture de l'esprit et qualifie alors tout être Eveillé (les Hinayanistes considèrent que seul Gautama, dans notre ère, parvient à la boddhéité).

Dharma. La Doctrine, la loi attribuée au Bouddha historique.

Eveil. Etat de Bouddha.

Hinayana ou « Petit Véhicule ». Courant bouddhiste traditionnel représentant la doctrine originelle telle qu'elle fut prêchée par le Bouddha. Ses adeptes préfèrent le terme Theravada (Doctrine des Anciens).

Jaïnisme. Constitué par Vardhamana, surnommé Mahavira (« le Grand Héros »), un contemporain du Bouddha, ce courant religieux – « doctrine » sœur du bouddhisme – se fonde sur les principes de non-violence et de discipline ascétique. Il s'oppose comme le bouddhisme et le zoroastrisme, religion fondée par Zarathoustra, aux sanglants sacrifices rituels. Pour s'affranchir du Karma et de la transmigration de l'âme, les adeptes du jaïnisme renoncent à la vie matérielle et respectent toute vie humaine et animale.

Karma ou Karman (mot venant de la racine sanskrite *kri* qui signifie « action »). Loi de causalité.

Enchaînement des causes et des effets. Toutes actions psychiques ou physiques entraînent des conséquences dans le devenir.

Koan. Enigme dans le zen proposée comme objet de réflexion.

Lama. Titre honorifique donné à un homme de vertu. Ce « maître religieux » peut être un moine ordonné mais aussi un sage bouddhique marié. Lama est la traduction de *Guru* (« Maître » en sanskrit).

Mahayana ou « Grand Véhicule ». Important courant réformiste mettant l'accent sur la compassion. Cette branche du bouddhisme ne se satisfait pas du seul salut de l'adepte. Fondé sur l'idéal du bodhisattva, le Mahayana a pour but de sauver tous les hommes.

Mandala. Diagramme pictural servant à la méditation qui correspond dans le Vajrayana à une aire magique, symbole de l'univers, des Bouddhas et des divinités tantriques.

Mantra. Incantation mystique de formules souvent versifiées, composées de mots ou de syllabes, pratiquée dans des écoles mahayanistes.

Mara. Personnification des états défavorables de désir, d'agressivité et d'illusion qui maintiennent l'homme dans sa condition malheureuse.

Nirvana. « Extinction », libération du Samsara.

Pali. Le mot signifie « ligne d'écriture ». Langue ancienne de l'Inde méridionale et de Ceylan utilisée dans le bouddhisme Theravada.

Samsara. Cycle des existences conditionné par la loi du Karma.

Sangha. Communauté bouddhique comprenant les moines, les moniales et les laïcs.

Sanskrit. Langue classique savante des brahmanes et des textes sacrés de l'Inde.

Satori. Terme japonais signifiant « l'illumination », c'est-à-dire la « compréhension ». Il est très difficile, pour ne pas dire impossible, de définir cette expérience intérieure.

Sutra. Texte des paroles attribuées au Bouddha ou à ses disciples immédiats.

Tantra. Mot sanskrit signifiant « fil », « trame » et par déviation « traité ». Texte ésotérique, transmis selon la tradition vajrayaniste par vision ou par inspiration.

Tara. Représentation de la sagesse féminine des Bouddhas. Tara signifie « la Libératrice ». Les Taras blanche (symbole de l'aspect fertile de la compassion) et verte (symbole de la compassion active) sont très populaires au Tibet.

Thangka. Bannière religieuse peinte, brodée ou tissée, déroulée lors de grandes cérémonies.

Tripitaka. Nom du Canon bouddhique écrit en langue pali, composé de trois corbeilles de textes.

Tulku. Réincarnation d'un être spirituellement réalisé.

Vacuité. Etat de « grand vide ». Terme essentiel du bouddhisme. Tous les phénomènes, selon les bouddhistes, sont vides d'existence propre. Ils ne sont qu'un ensemble d'éléments.

Vajrayana ou « Véhicule du Diamant ». Branche ésotérique de l'école de bouddhisme mahayaniste. Cette « voie directe », fondée sur les pratiques rituelles des Tantras, permet en une vie, selon la rencontre d'un maître et la faculté du candidat, d'atteindre l'état de Bouddha.

Véda. Texte religieux formé de milliers d'hymnes et de formules sacrées et poétiques, antérieur au brahmanisme et au bouddhisme.

Véhicule. Terme désignant les différentes branches du bouddhisme. Il en existe trois : le Petit Véhicule (Hinayana), le Grand Véhicule (Mahayana) et le Véhicule du Diamant (Vajrayana). *Yana* signifie « Véhicule ».

Yoga. Discipline philosophique, constituée d'exercices corporels et psychiques, ayant pour but la libération de l'être et le contrôle du mental.

Zen. Ecole de méditation bouddhique du Mahayana, d'origine chinoise (*Tch'an*), qui passa en Corée (*Son*) avant d'atteindre l'archipel japonais. Contemplation et compréhension intuitive fondent cette tradition attachée à la nature et à sa beauté.

Table des illustrations

Achevé d'imprimer
sur les presses de

HORIZON
GROUPE

Parc d'activités de la plaine de Jouques
200, avenue de Coulin
13420 Gémenos

Dépôt légal : février 1999